LES MURMURANTES

FRANÇOIS EMMANUEL

LES MURMURANTES

trois nouvelles

ÉDITIONS DU SEUIL
*25, bd Romain-Rolland, Paris XIVe*

L'auteur a bénéficié pour cet ouvrage d'une bourse à l'écriture
du ministère de la Communauté française de Belgique.

ISBN 978-2-02-106595-4

www.seuil.com

AMOUR DÉESSE TRISTE

« Ô bienheureuse ! Les sens anéantis dans l'éther du cœur, ayant chassé tout objet de sa conscience, il obtient la plus haute faveur, celui qui pénètre jusqu'au centre du calice où s'entrelacent les deux lotus. »

Le Vijñâna-Bhairava Tantra
Instruction 26
(Traduction de Pierre Feuga)

J'ai rencontré Joy Archer il y a huit ans dans le sud de l'Inde. Elle y habitait depuis plusieurs années, je n'étais là que pour quelques jours, sautant d'un hôtel de luxe à un temple en ruine, à un aéroport, à un site archéologique, parcourant le pays à toute vitesse comme font les milliers de touristes. Ma rencontre avec Joy fut foudroyante. Pendant les cinq jours qui me restaient nous ne nous sommes plus quittés. À Anjuna où nous partagions le même pavillon en bord de mer nous avons vécu une proximité de corps dont je ne pourrai parler que par bribes. Au terme de ces jours Joy n'a pas souhaité qu'il y ait à notre liaison une autre suite que celle qu'elle désirait lui donner : elle ne m'a pas laissé son adresse. J'ai longtemps cru qu'elle craignait de voir se perdre dans une histoire d'amour l'extraordinaire lumière de ce qui s'était passé. Mais aujourd'hui je ne crois plus rien. Pendant près de huit ans je n'ai plus eu de nouvelles d'elle puis j'ai reçu il y a quelques mois une longue lettre qui m'a bouleversé. Dès les premiers mots il m'a semblé que reprenait tout à coup l'étrange dialogue qui avait été le nôtre à Anjuna. Mais ce qu'elle disait en substance était d'une tout autre nature, elle écrivait : « Je suis face à des forces terrifiantes. J'ai rusé sans doute trop longtemps. Les médecins ne me proposent même plus de monter à Bombay pour une nouvelle chirurgie, c'est dire le peu d'espoir qu'ils me laissent… » Plus loin elle évoquait un maître de sanscrit qui venait lui rendre visite le matin et le soir. Cet homme était le premier et le dernier homme, m'écrivait-elle, un être d'une rare pénétration. Et à la fin elle avait cette phrase stupéfiante : « Le croirais-tu, je reviens souvent à Anjuna, je n'en suis peut-être jamais partie. » La lettre était à l'en-tête de l'hôtel Taj Malabar, Willingdon Island, Cochin, dans le sud de l'Inde. Ma réaction immédiate fut de téléphoner à la réception de l'hôtel mais ils n'avaient aucun résident à son nom et n'acceptaient pas de vérifier dans leurs registres si elle y avait récemment séjourné. Dans les jours qui ont suivi j'ai reçu à intervalles d'une semaine deux cartes postales, photographies de vieilles gouaches sur papier datant des XVIIIe et XIXe siècles. Au verso de la première carte elle s'excusait pour sa lettre, s'en voulait de m'y avoir fait porter, écrivait-elle, toute la charge de son découragement, et terminait par ces mots : « … je mesure aujourd'hui l'étendue de ce que nous n'avons pas pu nous dire. »

L'illustration du recto (« la chambre d'amour illuminée »), peinte par l'École Pahari dans le premier quart du XIXe siècle, représentait une femme seule attendant son amoureux en préparant sa couche parmi les miroirs et les chandeliers. Dans la seconde carte, de facture plus ancienne, une même femme s'avançait dans la nuit noire sous un délicat rideau de pluie. Au verso de celle-ci il n'y avait plus que ces mots dansant sur les pointillés de la carte : « Le sommeil me noie. Tout n'était donc qu'un rêve. » Les deux envois avaient été postés à Panjim dans l'État de Goa, là précisément où nous nous étions rencontrés. Comme de jour en jour je ne recevais plus rien et pour faire pièce à une angoisse tenaillante j'ai fini par prendre un billet pour l'Inde. Ce qui va suivre est la relation de ce second voyage, hanté par le premier. J'ai noté chaque soir les événements du jour, je les ai développés plus tard après mon retour en Europe. Mais tout y est repris dans l'ordre de ce qui fut vécu, aussi incroyable que cela paraisse. Ce que j'ai ajouté par la suite tient à la seule perspective des choses, et à l'ombre que laisse le temps.

Cochin, 24 février. J'écris de l'hôtel Taj Malabar, Willingdon Island. Je n'imaginais pas un tel luxe dans ce pays où la pauvreté s'affiche comme une maladie en plein ciel. Tout ici est feutré, presque silencieux, les haut-parleurs diffusent en douce un rythme de tablas au-dessus duquel vocalise un timbre de femme. N'était cette amertume propre à la mélopée indienne, on pourrait se croire n'importe où dans le monde, à Bali, Cancún ou Acapulco, dans l'univers marbré et climatisé des chaînes intercontinentales. Même quand passe dans le couloir un groom enturbanné ou quelque employée de service, avec foulard et sari d'uniforme, on pense à un déguisement de circonstance, car d'où qu'ils viennent ils parlent ici la langue des touristes, des comptoirs et des destinations d'affaires : *desk, roomnumber, phonecard, creditcard*... Et je m'y sens seul comme jamais.

Depuis mon arrivée il n'y a bien sûr aucune trace de Joy Archer. Il y a cette chambre très vaste où j'ai la sensation d'appartenir à un univers clos, fastueux, scandaleusement protégé de la foule du dehors. Au travers des baies vitrées l'estuaire du fleuve morcelle la terre en petites îles, on voit des traînées d'algues qui ombrent la végétation dense de Gundu ou de Vypin Island et découpe une géographie aqueuse, irréelle, colorant la lumière d'une teinte tilleul sombre. Sous le souffle du climatiseur le silence est ici presque absolu : pas un cri d'oiseau, pas le moindre hurlement de sirène tandis qu'un porte-conteneurs fait route presque immobile sans sillage ni panache de fumée vers les docks d'Ernakulam. Par moments, il me semble qu'un pas s'affole à l'étage, dans une chambre sans doute exactement pareille à la mienne, obscène par son luxe, ses deux grands lits de bois sculpté, ses miroirs aux encadrements de stuc doré et dans leurs niches ces mêmes divinités en *santalwood* qu'ils amoncellent pour les touristes dans les boutiques d'aéroport. Tant de luxe et tant de vide, je ne peux imaginer que Joy ait séjourné ici, ce ne sont pas des lieux qui lui ressemblent. Finalement ils ont accepté à la réception de consulter le registre des mois précédents mais son nom n'y figurait pas. Par dépit j'ai posé quelques questions aux gens de service mais comment la décrire, quel corps lui donner, et qui dans cet anonymat indolent des hôtesses, grooms ou *housekeepers,* aurait pu me renseigner sur une femme blanche dont le visage sur la photo doit ressembler pour eux à tous les visages de femmes blanches ? D'ailleurs ils la regardaient à peine et dodelinaient de la tête en souriant pour excuser leur ignorance. En ces couloirs le personnel a mission de ne se souvenir de rien, les draps d'une nuit sont roulés en baluchons, envoyés vers les autoclaves, et les chambres astiquées chaque matin pour la fiction d'un lieu qui n'est d'aucune mémoire. J'ai pourtant eu du mal à quitter l'hôtel, je traînais dans le hall avec un bizarre sentiment d'imminence, une voix qui brusquement aurait pu surgir, une grâce indolente lui appartenir, le regard tremblant d'une Européenne, le teint trop pâle d'une femme amoureuse. Au soir, dans la lumière tamisée de l'*Indian Restaurant*, je me suis laissé envoûter par la psalmodie d'un chanteur accroupi, une jambe pliée, une jambe dépliée sur son piédestal. Nous n'en finirons jamais, semblait-il dire, notre fin est sans fin, Joy m'avait écrit Anjuna, Anjuna encore, mais je n'en avais plus que quelques images, la fin du jour sur la plage, la petite maison où nous dormions, tout un écheveau de gestes étranges, et cette présence d'elle furtive et figée sur l'unique photo qu'elle m'avait laissée. La nuit tombée je suis sorti dans la touffeur de l'île, j'ai pris le bac pour Ernakulam et j'ai traîné au hasard des boutiques dans le quartier commerçant puis au cœur de la foule qui se promène nonchalamment le long du Marine Drive Walkway, face à l'estuaire. Au retour j'étais accablé d'images, harassé de fatigue, dans la seule envie d'oublier tout.

Cochin, 25 février. À la pointe de Fort Cochin et de Mattancherry, il y a de vieux pontons de bois surmontés de mâts obliques. S'aidant de tout un jeu de poulies et de contrepoids, des grappes d'hommes immergent puis remontent à intervalles de grands filets carrés. À une encablure passe un cargo noir dont la vague vient cogner avec retard contre les pilotis. Le ballet des pêcheurs est inchangé depuis des siècles : hisser lentement l'énorme nasse, en vider dans un seau le maigre culot frétillant, argenté, disputé aux corbeaux, puis grimper sur le faîte du mât pour enclencher la bascule du mécanisme. J'ai repensé à ces lavandières dont Joy m'avait parlé dans sa lettre. J'ai pensé qu'il était doux de se laisser bercer par le va-et-vient des choses, et que le spectacle de la répétition invitait à oublier le temps. Ainsi dois-je essayer de me convaincre de n'être venu pour rien, même si quelque chose en moi s'ingénie à mêler la présence de Joy à cette ville imprévue et grouillante dont les habitants s'écartent pour me laisser passer, où l'on désattelle les buffles sur la longue plage jonchée d'algues près du Dutch Cemetery, où les porteurs de blé en sacs, du côté de Calvetty Road, marchent yeux clos, les lèvres frémissantes, comme des officiants d'une procession sacrée. À Ernakulam j'ai vu les dévots torse nu se cogner la tête en marmonnant au pied de la déesse, j'ai vu quatre aveugles qui se tenaient par la main et chantaient des mantras, guidés par une petite mendiante. Mais lorsque je suis revenu à l'hôtel, dans ce hall luxueux et sombre où flotte toujours une odeur de caveau, j'ai éprouvé la sensation physique qu'elle était à nouveau très proche. Une femme dans la soixantaine est venue vers moi, elle me prenait pour un certain Allen Bates (Bays ?) et semblait ne pas accorder foi à ma dénégation. Je suis tombé endormi d'un trait, puis un rêve m'a réveillé au milieu de la nuit. Joy était de dos à l'angle d'un bassin d'eau qui devait appartenir à un temple, je m'avançais vers elle et j'avais peur du moment où elle allait se retourner. C'est cette peur qui m'a réveillé, il était quatre heures du matin, j'ai ouvert grands les rideaux pour que la nuit pénètre dans la chambre. Au-dehors scintillaient les lumières de Vypin, les feux d'Ernakulam, l'étendue tremblante de l'Inde endormie.

J'écris Anjuna, que s'est-il passé à Anjuna ? J'écris la chambre aux draps défaits, la lumière qui passe entre les stores, et la peau de Joy, doucement striée. Je la cherche dans ma mémoire et je vois ses cheveux châtain clair, son iris bleu cerclé d'un anneau sombre, une mèche au-devant de ses yeux, son expression à la fois résolue et flottante, avivée par la moindre incertitude, puis vient le moment où son corps s'approche et je ne vois plus rien. Je me souviens m'être dit que son regard était noyé par son sourire, qu'il pouvait demeurer distant, presque dur pendant de longs moments puis s'éblouir d'un trait sous l'effet d'un bon mot, d'une ingénuité soudaine. Le reste dans ma mémoire est envahi par son nom, Joy, comme il s'écrit, comme il se dit. Qu'une femme eût porté ce nom est une rareté confondante, si lointaine est la joie, si rare sa survenue. Cent fois je suis revenu sur sa photographie, cet encadré noir et blanc au rabat du livre qu'elle a illustré. Elle y est beaucoup plus jeune que lorsque je l'ai connue, son visage est saturé de lumière, je ne retrouve pas vraiment son sourire, vague, lisse, à jamais absenté. Parmi les contes indiens du livre l'un d'eux évoque un arbre qui porte des fruits de vie et de mort, un jour les hommes coupent la branche qu'ils croient empoisonnée et l'arbre tout entier meurt. Aujourd'hui je relie le conte de l'arbre avec le rêve où je crains qu'elle se retourne. Et j'ai un peu de frayeur à imaginer ce qu'est devenu son corps. Ce corps j'ai dû l'aimer passionnément, sans pouvoir pourtant le distinguer aujourd'hui du corps des autres femmes aimées, avec leurs attaches frêles, leurs plages bouleversantes de peau nue. Seul quelque chose alors me semblait plus précieux que tout, je n'ai pas d'autre mot que précieux, sacré, inestimable. Me revient enfin la dernière image d'elle dans la vitre arrière du taxi alors qu'elle me lançait un dernier signe et que sa silhouette habillée de rouge disparaissait peu à peu dans le paysage. Je sais que ce jour-là je n'éprouvais aucune douleur, plutôt une sensation de paix profonde, même si nous nous étions promis de ne plus nous revoir.

Panjim, 27 février. J'ai rejoint Goa parce que je ne pouvais pas attendre, Cochin était devenu irrespirable. En arrivant hier soir dans la petite capitale aux rives illuminées, aux néons clignotants et multicolores, aux bateaux-casinos mouillant dans l'estuaire, j'ai compris que rien n'était plus pareil. Ce matin l'impression s'est nuancée quelque peu, j'ai retrouvé par endroits le lustre nostalgique passablement encrassé du vieux comptoir portugais, enseveli dans la fourmilière indienne, mais il s'y ajoute à présent cette couche d'acculturation américaine dont scintillent un peu partout les enseignes mondialisées, *Liberty, Paradise, Riviera, Caravela, Shining star...* L'Inde polythéiste accumule sans les annuler toutes les influences mais ce dieu-là risque d'être plus ravageur que les autres. Au Fidalgo transformé depuis mon premier séjour en palace cinq étoiles, j'ai préféré le vieil hôtel Campal dans le quartier du même nom. C'est une bâtisse ancienne qui laisse lentement pourrir ses restes splendides. La moquette est usée, la peinture n'est plus rafraîchie mais il règne en ces lieux une mélancolie exubérante de promenoirs, balcons, balustres, grands escaliers de chêne lourd et patios rendus à la vie sauvage. Au-dehors, les klaxons stridulent comme des cris de jungle. J'ai arpenté au hasard les rues embouteillées puis j'ai rejoint le fleuve près de l'Institut Menezes Braganza, cette longue bâtisse coloniale aux hautes portes ogivales, où nous nous étions hasardés, je me souviens. Au rez-de-chaussée, la Bibliothèque centrale accumule la connaissance et la poussière en ses rayonnages serrés, sous de vieux ventilos couinants, tandis que se découpent au-dehors, derrière les arabesques de fer des fenêtres, les quatre fringants bateaux à jeux qui mouillent dans l'estuaire. J'ai erré un temps à la recherche d'un souvenir improbable et toujours perdu puis je suis rentré juste avant la bascule du crépuscule, dans l'affolante clameur des corneilles lorsque la ville semble prise d'un ultime enfièvrement.

Panjim, 28 février. Dans les couloirs déserts de l'hôtel Campal flânent quelques garçons d'étage parés de vestes à galons mais nu-pieds dans leurs sandales. L'un d'eux astique les lambris du hall, un autre s'absorbe à un livre de comptes, un troisième plie et replie sans cesse les mêmes serviettes-éponges, toutes activités vaines, quasi cérémonielles comme pour tenter de maintenir en l'état les boiseries et les fers de ce vieux paquebot en rade. Mais il y a longtemps que les touristes étrangers ont déserté le lieu pour des hôtels plus neufs sur la côte de Calangute. Je ne croise ici que quelques familles d'Indiens un peu replets promenant leur nonchalance, leur gentille stupeur sur les paliers d'étage. Aux alentours de l'hôtel, quelques chauffeurs de taxis, quelques guides inévitables battent la semelle. L'un d'eux a réussi à forcer ma défiance parce qu'il était plus âgé que les autres, gentiment roué, avec des éclairs de malice dans les yeux. Il s'appelle Sanjay. Comme s'il savait tout de moi il m'a proposé d'emblée de m'accompagner à

Old Goa et je me suis laissé faire. Rien n'avait évidemment changé dans la vieille cité portugaise, vidée de ses habitants par le choléra ou la peste et dont il ne subsiste que les églises et les couvents dispersés dans la jungle, envahis désormais par les hordes touristiques. Je marchais là sous la haute nef de la basilique et je ne ressentais rien qu'une écrasante fatigue. Au musée archéologique il y avait de gros lingams de basalte non loin de peintures naïves des martyrs de la conquête chrétienne. Après la visite j'ai demandé au chauffeur de taxi de nous mener jusqu'au bout de la presqu'île où je me souvenais qu'il y avait un vieux fort de latérite et que nous y étions restés une après-midi entière face à la mer d'Oman. Mais je n'avais plus le moindre souvenir de ce qui s'était dit ce jour-là, peut-être le seul émerveillement d'être ensemble. Sanjay et le chauffeur de taxi discutaient porte ouverte à l'avant de la voiture pendant que j'étais assis sur une pierre à m'emplir les yeux de cette mer étincelante et vide, pareille à toutes les mers du Sud. Par la suite j'ai voulu rentrer très vite, j'étais impatient de retrouver l'ambiance vieillotte de l'hôtel Campal, cette chaude et précaire sensation d'être là un peu moins étranger qu'ailleurs, et surtout l'envie d'être seul.

Me souvenant de notre première rencontre dans le transept de la basilique, l'instant où je m'étais soudain retrouvé face à elle, comme si la foule des touristes avait tenu à nous laisser l'un avec l'autre, et c'est elle qui m'avait adressé la parole : *we know each other, don't we ?,* puis passant aussitôt au français : nous nous connaissons, n'est-ce pas ?, alors que je me sentais cloué par la vision, le regard brillant de cette Européenne dont l'aura, l'audace, la tranquille assurance me semblait inconcevable, comme cette idée que je la connaissais, que j'aurais pu la connaître, que la scène réactivait une autre scène, à l'instant où je m'entendais bredouiller que je ne me souvenais pas, non, mais que peut-être bien, que peut-être elle avait raison, oui peut-être, un sourire ingénu éclairant alors sur son visage tandis que la foule revenait se presser autour de nous et que dans le brouhaha alentour, sous le profil là-haut de saint François Xavier allongé, incorrompu dans son cercueil de verre, j'entendais sa question extravagante : croyez-vous à la résurrection des morts ?

Panjim, 1er mars. Il régnait une agitation douce sous les ors et les lustres du temple de Ganesh. Présences murmurantes et va-et-vient d'offrandes. Accroupi en tailleur, un collier de jasmin sur son torse nu, un vieux prêtre chauve recueillait de mauvaise grâce les fruits et les bâtons d'encens, il dispensait en contrepartie un peu d'eau consacrée dans une cuillère d'argent, tandis que non loin d'un commis aux écritures un autre officiant semait des pétales sur le sol de part et d'autre d'une ligne blanche. Celui-là semblait répondre du bout des lèvres aux questions posées comme s'il fredonnait intérieurement. On pouvait penser que les destins se nouaient ou se dénouaient au hasard de ces pétales tombants mais tout cela n'était peut-être pour les fidèles qu'un cérémonial de plus, comme de s'enduire le front d'eau sacrée, de faire sonner la cloche du temple ou de s'incliner mains jointes à reculons. Près d'un grand char ripoliné un prêtre bedonnant est venu me proposer de lire dans ma paume, il a détaillé mes lignes de vie et de chance puis m'a fait traduire ceci par Sanjay : il y aura une rencontre très importante dans les prochains jours. Je n'en ai pas su davantage sinon qu'il s'agissait, affirmait-il, d'une femme très pieuse. Sanjay n'avait manifestement pas envie de s'attarder auprès de ce dignitaire à l'haleine empuantie par l'alcool. Et plus tard dans l'après-midi, alors que nous nous étions perdus parmi les vieilles maisons portugaises du quartier de Campal, cherchant à décrypter les noms, *Villa Hermosa, Villa Savitri,* de ces belles demeures anciennes dévorées par leurs jardins, je nous revois parmi le mobilier colonial d'une véranda aux arches poussiéreuses, Sanjay engagé dans une interminable conversation en konkani avec un vieil homme dont je ne distingue rien dans l'entrebâillement de la porte sinon le bas de sa dhotî blanche et son pied nu appuyant nonchalamment la traverse inférieure de sa chaise basculante. Ils parlent, ils n'arrêtent pas de parler, je me demande de quoi ils parlent, est-ce que Sanjay enquête comme je le lui ai demandé sur l'identité d'un professeur de sanscrit à Panjim, ou leur conversation est-elle pur bavardage, à propos de la grève des bus par exemple ou des inondations dans le Nord ? Un ventilateur brasse en cliquetant l'air de l'après-midi chaude. Au fond de son antre surencombré, l'homme à la dhotî blanche a une voix nasillée, chantante, parfois il arrête de faire crisser son fauteuil à bascule et glousse doucement.

La mémoire est comme un mur sur lequel on passe la main. De quoi la main se souvient-elle ? Nous avions si peu parlé. Je me souviens que Joy dormait avec un coussin sous le ventre, je me souviens aussi d'un point très précis au bas de sa nuque et qui réveillait au toucher, disait-elle, le chagrin de la petite fille esseulée. Car elle était issue d'une famille froide, comme elle la nommait, des gens de pudeur. Enfant sa mère la laissait souvent seule dans la grande maison glacée de Coventry, ou dans les chambres d'hôtel quand elle l'emmenait en voyage. J'ai greffé autour de ces mots quelques images qui m'appartiennent : les jardins pluvieux du West Midlands, une lignée d'aristocrates, une petite fille jouant seule dans un salon vide et sonore... À Panjim je me souviens qu'elle devait rencontrer une jeune Américaine qui arrivait de Pune et dont elle reportait de jour en jour la rencontre. Pune, Coventry, une Américaine : ces détails font brèche dans le mur de ma mémoire, mais tout le reste est indistinct. Il me revient que quand son portable sonnait, elle s'éloignait vers la plage et marchait là de long en large, de loin je n'entendais plus sur fond de la rumeur de mer que l'inflexion de sa voix un peu tranchante, quelques apostrophes vives, parfois des rires brefs. Et lorsqu'elle revenait sous le couvert des arbres, le regard encore absorbé, je mesurais l'extrême fragilité de notre espace, et cette intimité, cette menace, de ce qui n'aurait ni nom ni mémoire.

Panjim, 2 mars. Ce matin, à l'heure du petit déjeuner, un homme est venu droit vers moi, dans la salle à manger de l'hôtel. C'était un brahmane grand et mince, la soixantaine alerte, malgré une légère boiterie, la calvitie naissante, une kurta blanche, un regard un peu flottant, une délicatesse dans ses gestes. Il s'est présenté comme une connaissance de Sanjay, du moins c'est ce que j'ai cru comprendre. Je lui ai dit que j'étais de passage dans la ville, que je recherchais une femme européenne qui avait suivi des cours de sanscrit chez un professeur de Panjim et j'ai donné son nom. Il ne me l'a pas fait répéter, il est resté un temps silencieux, tournant pensivement la cuillère dans son thé de cardamone puis il m'a demandé qui elle était pour moi. À ce moment-là et tandis que je cherchais des mots simples pour dire sans trop l'avouer cette chose étrange qu'avait été notre rencontre, cette espèce de ravissement qui ne reposait sur presque rien, j'ai eu l'impression qu'il n'était pas étonné par ce que je lui racontais. Mais il est possible que plus rien ne l'étonnait dans ce monde. Peut-être est-elle vraiment partie, a-t-il observé mystérieusement, puis il s'est tourné vers la baie vitrée, assombrie par les grandes feuilles de bananier du patio. Un moment ses yeux se sont à nouveau posés sur moi et il m'a souri avec une nuance pensive, un peu triste. Et plus tard en me laissant sa carte de visite il a eu cette question qui m'a laissé un instant sans voix : *are you really looking for her ?* Est-ce que vous la cherchez vraiment ? Il s'appelait Vishram Sarat et habitait St Sebastian Road dans le vieux quartier de Fontainhas.

L'appui, la pénétration tranquille de son regard m'a poursuivi longtemps dans la matinée. Pour faire pièce à un sentiment pénible j'ai loué un scooter à un marchand du port et je me suis laissé porter dans le vent en direction de Betim, le fort d'Aguada, puis la route asphaltée qui longe les plages de Sinquerim, Candolim et Calangute. Parfois un camion orné d'une déesse me frôlait dangereusement, une voiture de vacanciers me doublait à toute allure et je voyais disparaître des visages d'enfants hilares dans l'encadrement arrondi d'un pare-brise arrière. À Calangute la route qui menait à la plage était bordée d'échoppes d'artisanat industriel. Dans les casiers étincelaient les mêmes pierres semi-précieuses, les mêmes saris de soie sauvage, les mêmes éléphants sculptés qui s'exposaient dans les hôtels chics de Bombay, Madras ou Bangalore. Face à la mer toute une foule se pressait autour de puissants hors-bord, bolides fluorescents fendant insolemment la vague au long de cette interminable plage où tous se mêlaient, riches et pauvres, vacanciers et vendeurs de glaces, cerfs-volants, ananas, cosmétiques, taroteurs ou nettoyeurs d'oreilles, vaches indolentes et petites fripières du Karnataka harponnant l'étranger – *good price, sir, indian price…* – tandis que battaient les rythmes sourds des bars et des shaks sous le ciel chauffé à blanc. Autrefois les Indiennes se risquaient avec crainte dans la mer, leur sari humide moulait leurs seins et leurs cuisses, une gêne excitée engonçait leur avancée prudente dans l'eau dangereuse, mais la scène appartenait d'évidence à un autre temps. J'ai fait demi-tour vers Candolim en direction du village de pêcheurs dont les longues barques bleues avaient remplacé les pirogues à balancier. Une roue de poissons séchait au soleil sous un cadavre de corneille suspendu à une petite potence. Je me suis assoupi à l'ombre d'une quille. Un enfant est venu vers moi pour me vendre une pierre brune dont l'intérieur était tapissé de cristaux nacrés. Il s'appelait Anuj et pensait qu'il n'y avait au monde que l'Inde et l'Amérique, il habitait l'Inde et moi l'Amérique. Je n'ai pas démenti, j'avais une barre rouge au-devant des yeux, la tête douloureuse. Je savais que je n'irais pas à Anjuna, je ne voulais pas fouler le lieu dans cette clarté trop blanche, sous ce lancinant mal de tête, je voulais Anjuna plus tard, dans une autre lumière, je craignais que rien n'y ressemble à rien. En rentrant j'ai embarqué à l'arrière de mon scooter un jeune stoppeur qui me serrait le ventre à m'étouffer, me hurlait à l'oreille que les blancs venaient à Goa *for love, for love,* qu'ils restaient couchés au soleil toute la journée et que la nuit ils cherchaient des corps à aimer dans les bars de Calangute. Au premier feu de Panjim il a sauté d'un bond, j'ai à peine eu le temps de me retourner, il avait déjà disparu.

Ange dont je n'ai jamais vu le visage. Le lendemain de notre première rencontre dans le transept de la basilique, Joy était au concert à la Kala Academy. Il était parfaitement improbable que nous nous y retrouvions mais elle était là, incrédule et radieuse, toute parée de noir dans la lumière vacillante des appliques murales. Je me souviens du sentiment de perdition joyeuse qui nous hantait alors l'un l'autre, comme si nous retrouvant là par la grâce d'un hasard, nous nous savions désormais promis à une histoire qui ne nous laisserait pas indemnes, un vent faste levé dans la nuit profonde. Par la suite, et parce que tout fut décidé par elle au long des cinq jours qui suivirent, il m'est arrivé de penser qu'elle avait sciemment repéré mon hôtel et programmé cette deuxième rencontre, mais c'était sans compter sur son trouble ce soir-là, ma maladresse qui l'avait gagnée, sans rapport avec la conversation frôlée, insouciante que nous avions eue la veille dans la basilique. Autour de nous les gens sortaient en masse de l'amphithéâtre, les voix s'extasiaient bruyamment, au point qu'elle m'avait touché la manche en m'intimant sur le ton de la plus grande familiarité : allons-nous-en, voulez-vous, allons-nous-en… Et tout s'était précipité à partir de cette invitation à fuir, à nous retrouver loin de la foule, tous deux dévalant en hâte les volées d'escaliers, rejoignant l'esplanade, puis cette allée aux lampadaires jaunes, aux arbres soudain figés, immémoriaux, cocotiers obliques, immenses ficus aux lianes pendantes, enfin cette jetée de bois où incompréhensiblement j'avais eu, nous avions eu simultanément, je crois, cette impulsion chancelante de nous serrer l'un l'autre, puis j'avais bafouillé quelques paroles d'excuse tandis qu'elle me regardait troublée, émerveillée, répétant qu'est-ce qui se passe, mais qu'est-ce qui se passe ? Sur le fil de ce sourire qui désormais ne la quittait plus, la conversation s'était renouée artificiellement comme s'il fallait combler à tout prix l'instant d'égarement, chercher à retrouver le ton de la conversation dans la basilique à propos des fastes chrétiens, de l'incorruptibilité des âmes, mais quelque chose ne s'accordait plus, la jetée était étroite et les gens commençaient à l'investir par groupes, depuis les fenêtres grandes ouvertes ils diffusaient à présent une musique criarde de Bollywood pour faire oublier l'intermède divin de tablas et de sitar auquel nous venions d'assister. Alors elle avait proposé Miramar Beach qui était, disait-elle, plus tranquille, une terrasse sur le fleuve du côté de Dona Paula. Et je nous revois à l'arrière du taxi qui longeait très lentement l'estuaire de la Mandovi en direction de la plage de Miramar, de moins en moins éclairée. Car s'il fut une image, une seule image qui me reste du commencement des choses ce serait celle de nous deux à l'arrière de cette voiture alors que j'ignorais tout de là où nous allions, découvrant que cette ignorance était du pur bonheur, et je m'entendais lui dire que l'Inde se voyait enfin rendue à cette promesse d'imprévu qu'avait toujours été l'Inde, que jusque-là je me morfondais dans une prison de chromos touristiques et d'étapes obligatoires, elle hochait la tête en souriant, confirmait qu'en effet c'était un rapt à la musique et à la foule, à la musique pour la foule, parfois s'ouvraient à notre droite de grands pans de plage luisante avec quelques rares luminaires qui depuis l'autre rive du fleuve laissaient sombrer leur reflet dans l'eau noire et je ne distinguais plus que sa présence rencognée au fond du taxi, son profil incertain, la masse sombre de ses cheveux, parfois à la faveur d'une lampe de rue l'éclat blême de son visage.

Où allons-nous ? Nous sommes-nous vraiment connus quelque part ? Elle haussait les épaules. C'est parce que vous n'étiez pas là, éludait-elle tout sourire, vous aviez l'air perdu au milieu des autres, vous ne teniez à rien ou presque rien.

Panjim, 3 mars. Vishram Sarat ne paraissait pas étonné lorsqu'il m'a vu approcher de sa petite maison rose dans le quartier de Fontainhas. Il était torse nu, la dhotî nouée au-dessus de ses jambes osseuses, et il souriait en me voyant pousser la petite grille d'entrée. Nous nous sommes assis côte à côte sous l'auvent de cette vieille villa portugaise un peu délabrée et nous avons repris la conversation de la veille à l'endroit où nous l'avions laissée. En m'écoutant il fixait le balustre de ciment et gardait les mains à plat sur ses genoux sans que le sourire ne s'efface tout à fait de son visage. Je lui disais qu'en effet il était étrange et sans doute inconséquent d'aller à la recherche de quelqu'un sans avoir d'autre piste que la mention vague d'un maître de sanscrit. Il devait y avoir en Inde des centaines de maîtres de sanscrit... Je ne suis pas maître de sanscrit, m'interrompit-il ajoutant que le sanscrit était une langue pour les livres et les prêtres et que Goa n'était pas Bénarès, que son enseignement devenait hélas plutôt rare. De quoi était-il professeur alors ? Il eut une moue amusée, un geste de la main qui semblait signifier : rien, professeur de rien, professeur d'incertitude, puis il se redressa, défit le nœud de sa dhotî et s'éclipsa dans la maison sans plus d'explication. L'après-midi était chaude, un moteur s'ébrouait sur fond de la rumeur de ville, une voix éraillée lançait à intervalles la même invocation lancinante et cela ressemblait à une prière dans le vacarme. Quand il est revenu quelques minutes plus tard il était vêtu à l'européenne, avec un pantalon et une chemise blanche au col fermé, les pans flottants sur ses hanches, et il m'a invité à rentrer dans la maison. La véranda était assez nue avec des fauteuils bas à armature d'osier, le mur envahi par une plante grimpante dont les longues tiges torsadées montaient à l'assaut d'une cage à oiseau, apparemment vide. Le vieil homme s'est assis en contrejour de la fenêtre et il m'a demandé de reparler de Joy. J'ai redit autrement ce que j'avais dit la veille, il balançait la tête en signe d'approbation mais je ne voyais pas l'expression de son visage, simplement son ombre ovale, auréolée de cheveux blancs. Pendant que je lui parlais j'avais une vague conscience que nous n'étions pas seuls dans la maison, je percevais dans une pièce plutôt lointaine (une cuisine, une cour ?) un bruit régulier de balai, le pas d'une sandale, quelques très légers tintements de vaisselle. À un moment il a tourné la tête dans la direction de la porte ouverte derrière moi et j'ai senti dans mon dos une vibration très particulière : une femme venait d'entrer dans la pièce, elle était vêtue d'un sari bleu brodé d'or, des fleurs blanches nouées à ses tresses, la brûlante pénombre de l'après-midi semblait l'iriser tout entière, elle se déplaçait dans un bruit de soie crissante. Elle m'a fixé d'un regard grave en déposant sur le sol le plateau avec le thé et les tasses tandis que Vishram annonçait joyeusement : *here is the tea and here is Angha.* Se reculant dans la pénombre elle s'est inclinée mains jointes avant de disparaître. J'ai demandé à Vishram si elle était sa fille et il m'a répondu qu'elle était son assistante, sans préciser pour quelle tâche. Nous sommes restés un temps silencieux puis je lui ai dit que la question sur laquelle il m'avait laissé la veille m'avait longtemps poursuivi. Pour toute réponse il s'est mis à verser le thé dans les tasses, reversant le liquide dans la théière, puis à nouveau dans les tasses, deux fois, trois fois, dans un cérémonial minutieux où chaque geste semblait compter. Ce que l'on cherche est toujours en soi, a-t-il prolongé d'une voix songeuse, puis il a paru s'assombrir. Pourquoi m'avez-vous dit qu'elle pourrait être vraiment partie ? lui ai-je demandé. Il m'a répondu je vois beaucoup de gens qui partent, puis il s'est muré dans ses pensées. Le breuvage était très fort, très sucré, à la limite de l'écœurement. La femme devait avoir quitté la maison car il y régnait à présent un absolu silence. Je sentais qu'il ne m'en dirait pas davantage et je me suis levé en le remerciant.

Je marchais le long de la Mandovi avec le sentiment que tout était signe, qu'il y avait une scène impossible à voir sous les mille détails qui composaient autour de moi la fresque indienne : ces trois femmes avançant en ligne et portant sur la tête un régime de bananes, leur démarche lente, leur bras en balancier, leur grâce millénaire, sur une jetée de ciment ce groupe de voyageurs immobiles, attendant le bac que l'on voyait se profiler au milieu du fleuve avec d'autres silhouettes attroupées, motos, vélos, scooters, prêts au débarquement, quatre joueurs accroupis en cercle et qui déplaçaient des capsules de bouteilles sur un damier tracé à la craie, un lambeau de guirlande fleurie, une déesse de paille décapitée, des nuées de corneilles ricanant dans l'air du soir, trois enfants qui jouaient au cricket dans le couloir de l'hôtel, la nonchalance des garçons de service, quelqu'un avait griffonné sous le règlement de ma chambre : *be confident in God*, ayez confiance en ce Dieu multiple, proliférant, ces mille visages du Dieu ou de la Déesse m'accueillant en son sein grouillant, m'accueillant et me rejetant, me renvoyant à mon errance, à ma mémoire vague, à ce vague et tenace sentiment d'erreur. Chaque fois mon cœur se serre quand les odeurs se souviennent, fumées et encens lourd autour des temples, feux, volutes bleues sur les berges de la Mandovi, relents de jasmin au passage des femmes, et parfois un mot me revient de notre conversation murmurée, sans commencement ni fin, un mot, une inflexion plutôt, parce que les mots étaient plutôt comme des gestes, pour se toucher, pour se détacher, se rejoindre, pas vraiment pour ouvrir la parole. Quelques détails remontent : la boucle de sa sandale de cuir, ses cheveux châtain qu'elle ramassait vers la nuque en renversant la tête en arrière comme une baigneuse au soleil, et soudain, un bref instant, je l'aperçois telle qu'elle était : très droite, l'éclat vif dans les yeux, une manière de marcher insouciante et résolue, comme quelqu'un qui traverse la foule et sait où elle va.

Panjim, 4 mars. Comme j'insistais auprès de Sanjay celui-ci a finalement reconnu que Vishram Sarat de Fontainhas n'était pas vraiment maître de sanscrit. Certes le grand homme connaissait cette langue, il pratiquait d'ailleurs plusieurs autres langues dont l'hindi et le bengali, et pendant longtemps il avait enseigné le Bharata Natyam. Mais, c'est vrai, il n'était pas maître de sanscrit. Actuellement, disait Sanjay, Vishram aidait surtout les gens au moment du passage, c'est ainsi qu'il était connu dans l'État de Goa, c'était devenu sa notoriété. Mais j'avais beau interroger mon guide sur ce qu'il entendait par le mot passage, il demeurait fuyant, évasif, n'aimait sans doute pas que je le confronte à ce qu'il ne savait pas vraiment. Assez vite il estimait d'ailleurs m'en avoir assez dit et ne désirait rien d'autre que de connaître mes intentions pour la journée. Sur sa proposition, et sans que je comprenne pourquoi, nous avons échoué dans un hôpital au bord du fleuve, vieille demeure portugaise avec ses grilles ouvragées, son patio en friche, son vaste escalier tournant, ses couloirs délabrés et spacieux où stagnait la lumière jaune des temps anciens. Quelques infirmières en bonnet à bandes bleues et tailleur immaculé découpaient leurs silhouettes affairées devant les grandes fenêtres donnant sur l'estuaire. Pour en finir j'ai donné son congé à Sanjay et je suis allé dîner à une table seule dans le restaurant de l'hôtel Venite, qui servait des repas végétariens aux Européens de passage, jeunes errants, aventuriers, quêteurs de voyages mystiques, survivants du vieux rêve de l'Inde. Une jeune femme pleurait en silence devant son compagnon muet. Sur le tablier en bois de la cheminée quelqu'un avait gravé en français :

Amour déesse triste

J'ai attendu que le soir tombe et je me suis fait conduire en taxi à Calangute, là j'ai marché le long de la plage vers Baga, puis vers la haute avancée rocheuse qui cachait Anjuna. Trois gitanes à la peau noire sont venues à ma rencontre pour me vendre des soies teintes et des bracelets d'argent. L'une d'elles avait des yeux comme des gouffres, elle me touchait la manche en insistant *for your love sir.* Lorsqu'elles m'eurent enfin laissé je me suis rendu compte que je n'irais pas jusqu'à Anjuna, parce qu'il n'y aurait rien à y retrouver, rien d'autre que le sentiment d'être plus seul encore. Du haut du promontoire rocheux je pouvais contempler vers Vagator la longue plage claire avec son cordon de cocotiers, de parasols, et plus près, ces bâtis de bambous qui servaient à accrocher les fripes de couleurs au jour du Flea Market. À vrai dire je reconnaissais tout et tout m'était étranger, comme le paysage trop vu, trop connu des cartes postales et des guides de voyage. En rentrant vers Calangute puis vers Panjim je n'éprouvais toujours rien sinon cette impression de vent qui chasse, de ténèbres qui gagnent de proche en proche, et le sentiment de la parfaite inutilité du voyage. Dans la nuit j'ai été réveillé par une coupure d'électricité, ce brusque tressaillement du climatiseur suivi d'une chute dans le silence avant l'enclenchement du groupe électrogène. Déserté par le sommeil je me suis remis à relire la lettre et les deux cartes, c'était comme une vérification absurde, sans objet. Au recto de la dernière carte la jeune amoureuse s'avance seule dans la nuit sous l'orage. Est-ce pour n'être pas mouillée qu'elle soulève le bas de sa robe ou est-ce pour montrer le serpent qui s'enroule à sa cheville ? Le maniérisme fait le reste : ses grands yeux en amande, son pied délicat, son geste d'écarter les fils de la pluie comme s'il s'agissait d'un rideau de perles.

Je ne sais pas ce qui nous arrive, disait-elle, me repoussant doucement, cherchant la distance des corps, préférant marcher à côté, à distance. Et plus tard elle avait dit demain nous prendrons une chambre à Anjuna. Décidé, décrété, dit : que tout s'arrêterait là-bas, mon temps et le sien, l'un et l'autre dans ce temps éloigné de tout temps, hors de toute atteinte du monde, Anjuna.

La retenue, la lenteur à Anjuna, comme si d'être entré là presque par effraction nécessitait à présent d'infinies précautions, qu'il y avait des codes à respecter, des lignes à ne pas franchir, dans un protocole fragile où je la sentais tantôt sûre d'elle, tantôt tâtonnante, comme quelqu'un qui voulait retrouver les choses, ne se souvenait pas bien des choses, cherchait l'enchaînement, la manière ou le temps propice, un soir dans la chambre d'Anjuna elle me demande de tracer sur sa peau une ligne allant de l'ombilic au sommet du front, je ne comprends pas, la ligne ouvre la part gauche et droite de son corps, son visage se fend en deux, le sourire tremble sur sa lèvre, sa peau appelle la caresse, le désir est partout, elle dit que nous sommes chacun de nous doubles, Shiva et Shakti, je ne comprends pas, je ne pose pas de question, parfois je pense qu'elle est folle, que notre intimité est folle, puis je ne pense plus, je me sens pris à moi-même, déporté de moi-même, il me semble devenir autre à mesure qu'elle m'a fait entrer dans son étrangeté, Shakti, et plus tard au plus haut de la mêlée nous deviendrons tous deux homme et femme, là je l'entends pleurer.

J'entends sa voix qui se détache alors que nous sommes allongés dans l'obscurité, elle marmonne en anglais quelque chose, je crois comprendre qu'elle évoque l'amour gâché, pourri, *rotten,* elle dit je ne veux rien de toi et que tu n'attendes rien de moi, elle le dit, elle le répète : nous ne nous reverrons pas. L'amour serait chez l'autre la découverte incrédule de cette part de soi que nous ne connaissions pas, elle sourit, elle dit tu ne sais rien, moi non plus je ne sais rien, j'aime cette idée que nous ne savons rien l'un de l'autre, il faut laisser faire la Déesse. J'ai cherché plus tard dans les livres, j'ai tenté de comprendre ce sourire divin, ingénu, extatique des déesses de basalte, déhanchées et souveraines couvrant les façades des temples de Hampi ou Khajurâho, j'ai lu à propos des devadasi, les danseuses sacrées, quelque chose s'éveillait à chaque fois, je revenais à Anjuna, au souvenir de la chambre, puis très vite ce souvenir devenait improbable, je pensais à une histoire morte, improbable et morte, Dieu est le nom que les hommes ont donné au silence, le nom de Dieu sur sa peau nue.

Panjim, 5 mars. Lorsque Angha est arrivée à ma rencontre dans le jardin de Fontainhas, elle avait les cheveux mouillés, un pan de son sari rouge abaissé sur sa nuque, et ce sourire grave, un peu intimidé, qui semblait sous-entendre une connivence secrète. Elle m'a installé dans la véranda sur le même fauteuil d'osier que l'avant-veille en me disant que Vishram dormait. Il y avait un petit oiseau jaune dans la cage du mur, il hochait craintivement la tête en me regardant puis disparaissait derrière les feuilles de la plante grimpante. L'attente se prolongeait dans l'après-midi chaude, il me semblait qu'un événement allait se produire, c'était à la fois incertain et inévitable. À un moment Angha est venue silencieusement déposer un verre d'eau et une soucoupe remplie de noix de cajou, j'ai voulu savoir si Vishram dormait encore, elle a dodeliné de la tête sans mot dire, j'ai cherché à la retenir un peu, je lui ai demandé si elle était son élève, elle m'a fixé avec surprise puis elle a eu un haussement d'épaules qui semblait dire oui, on peut le voir ainsi. Elle s'apprêtait à prendre congé, je sentais que toute question trop directe ne pouvait que la faire fuir, alors ces mots me sont venus : c'est étrange, j'ai rêvé cette nuit de ce lieu-ci, cet instant précis, croyez-vous aux rêves prémonitoires ? Bien sûr, acquiesça-t-elle avant de s'éclipser. Vishram ne fit son apparition qu'une heure plus tard alors que je m'étais mis à somnoler. Il était rasé de frais, souriant, son cordon brahmane sous sa chemise ouverte. Me proposa de l'accompagner pour une promenade du soir le long de la Mandovi. Il marchait d'un pas lent, boitant légèrement mais avec une grâce songeuse, en balançant la main comme s'il battait intérieurement la mesure. Sur le rivage un groupe d'enfants était agglutiné autour d'une carcasse de chien, un homme au loin lavait au savon sa motocyclette tandis que du côté de la route les klaxons perçaient la rumeur du soir dans la ville embouteillée. On m'a dit que vous aidiez les gens au moment du passage, dis-je. Vishram me serra le bras sans ajouter mot. Comment aide-t-on les gens au moment du passage ? Sa réponse vint beaucoup plus tard alors que nous étions tous deux assis sur un banc non loin du ponton d'embarquement du ferry. Il suffit de donner la main, dit-il, parfois il faut écouter longtemps pour que la peur s'en aille. Si les hommes ont peur c'est parce qu'ils sont encore trop attachés à ce qu'ils possèdent, ils ont peur de perdre, ils ont peur d'être nu, ils s'accrochent à leurs souvenirs, ils pensent qu'ils n'ont pas fini avec le monde. Son regard était absorbé, fixe, sa voix un peu forcée, avec dans le ton quelque chose d'ânonné, didactique, lorsqu'il expliquait *they are afraid to lose, they are afraid to be naked...* Il y eut un long silence. Les hommes ne regardent plus la vie comme elle passe, reprit-il songeusement, pourtant la vie commence et finit à chaque instant, ils le savent mais ils l'oublient. Les guirlandes des bateaux-casinos s'allumaient dans l'estuaire. Moi aussi, lui dis-je, j'aurai peur, tout le monde a peur au moment du passage. Il posa à nouveau sa main sur mon bras, il eut ces mots que je retranscris sans doute imparfaitement : il y a une lumière dans ces moments où tout change, c'est une couleur que prennent les choses et c'est bien plus qu'une couleur, c'est comme le soir quand la nuit n'est pas encore tombée et que la lumière monte de la terre, il règne alors une sorte de beauté. Il fit une longue pause. Il n'est pas facile de voir cette beauté, poursuivit-il avec cette même lenteur, c'est l'apprentissage de la vie, si tu as vu la beauté dans ta vie alors tu peux la sentir en ces moments-là logée dans le roseau creux qui est à l'intérieur de ton corps, et tu n'as plus de raison de craindre, les douleurs, les noirceurs, les voiles de la maladie ne sont plus que des encombrements passagers, tu peux commencer à laisser tomber la tête, c'est bien. Son visage s'était éclairé d'une joie presque enfantine. Venez, dit-il, nous allons encore marcher.

Toujours en longeant l'estuaire nous avons continué dans la direction du pont vers Mapusa. Son pas s'était encore ralenti et je devais faire des efforts pour être à son rythme. Sur le boulevard nous avons fait halte dans la cahute d'un vendeur de thé. L'homme devait bien le connaître car il plaisantait avec lui en faisant écumer le liquide dans les verres. Une ampoule jaunâtre brinquebalait au-dessus d'un amoncèlement de bidons métalliques, nous étions assis sur l'unique banc, à regarder le flux des piétons, silhouettes décapitées par un rideau flottant, indifférentes au trafic, bus, voitures, motos, moto-rickshaws, dont les phares s'allumaient dans la nuit presque tombée. Je ne lui avais pas posé de question et pourtant il me parlait d'une personne qu'il venait de visiter du côté de Ponda, cette personne était une Européenne, j'ai mis un certain temps à le comprendre, il en parlait cependant très explicitement, afin que je l'entende, il disait que ça avait été long et difficile, que pour les Européens c'était souvent difficile, et que cela l'avait beaucoup fatigué, cela l'avait rendu triste aussi parce que cette femme était dotée d'un grand désir, d'une grande exigence qui la dressait comme un aigle, qui ne voulait pas la lâcher, alors il avait fallu un long temps pour que l'aigle commence à la lâcher, à Ponda il y avait une vieille mendiante... Je n'ai pas entendu la suite, je crois que le thé au lait ne passait pas, il flottait dans l'air un relent de graisse rance, je me souviens que je voulais lui demander le nom de la femme mais que les mots ne se formaient pas sur mes lèvres, je voyais son visage creusé, fixe, jauni par l'ampoule électrique, il me parlait mais je ne l'entendais plus, un moment l'envie d'air m'a poussé à me lever, le liquide brûlant s'est répandu sur le haut de ma jambe et le vendeur de thé s'est mis à crier, je ne me souviens plus de rien d'autre : le sol qui tangue, les piliers érodés de la cahute, la tache de l'ampoule électrique, les bidons, le chaudron, l'ampoule encore, blanc, blanc, blanc.

Revenant à moi dans un hall d'hôtel aux colonnes

garnies de miroirs. Un gros homme dégrafait de mon bras le brassard d'un tensiomètre en m'expliquant que je venais de faire une syncope vagale. Derrière lui une petite fille serrait contre elle une poupée à la tête molle. Vishram était en retrait du groupe, le regard un peu perdu, les lèvres animées d'un frémissement. Quand j'ai été capable de tenir sur mes jambes il m'a tendu un bras fragile, a fait arrêter un moto-rickshaw et m'a raccompagné jusqu'à l'hôtel Campal. Je me sentais bizarre, la tête légère mais le ventre lourd, une ouate assourdissait les sons, je voyais défiler les lumières de la ville nocturne derrière le profil sombre du vieil homme qui de temps à autre se retournait vers moi avec inquiétude.

Panjim, 6 mars. Au réveil il y avait sur ma table de nuit un exemplaire du Vijñâna-Bhairava Tantra, reprenant 112 préceptes ou moyens d'illumination. J'ai ouvert le livre au hasard et j'ai lu :

> *« Même en l'absence de la femme, ô Maîtresse des destinées, l'afflux de félicité peut se produire si l'on se remémore intensément la jouissance que nous ont donnée ses baisers, ses caresses, ses étreintes. »*

J'ai immédiatement soupçonné Sanjay qui depuis le premier jour veut absolument me vendre de petits bas-reliefs en plâtre du Kama-sutra en prenant des airs complices comme s'il s'agissait d'objets proscrits. Mais Sanjay n'est pas admis dans les couloirs de l'hôtel et ce serait sans doute lui prêter une érudition qu'il n'a pas. D'ailleurs je lui ai posé la question et de toute évidence il ne connaissait pas le Vijñâna-Bhairava Tantra. Sans que je le lui demande vraiment il a fini par me guider jusqu'à un temple dédié à Lakshmi et dont la salle marbrée était totalement déserte hormis une vieille marchande de guirlandes de fleurs blanches qui m'a passé la main sur le front en prononçant des formules. Elle sent qu'il y a un voile devant tes yeux, m'a traduit Sanjay, puis il s'est muré dans le silence jusqu'à la fin de la visite. Couverte d'argent, repue d'offrandes, la déesse nous couvait de son regard peint depuis l'ombre de son alcôve.

J'ai donné son congé à mon guide et je suis retourné au quartier Fontainhas. Pieds nus dans son sari bleu Angha est venue jusqu'à la grille et m'a annoncé que Vishram avait pris le bac le matin même pour Betim et ne rentrerait peut-être pas avant plusieurs jours. Je lui ai demandé s'il n'avait pas laissé de message, j'ai bredouillé que mon avion repartait le surlendemain, elle m'a regardé avec étonnement, nous sommes restés un temps l'un face à l'autre sans pouvoir nous parler puis elle m'a invité à m'asseoir sous l'auvent. Un peu plus tard elle est revenue déposer à mes pieds un verre et une cruche avec du thé refroidi et s'est assise sur le même banc, toujours en silence, à distance d'un mètre, les mains posées sur les genoux, comme si elle attendait avec moi l'arrivée de quelqu'un. Je ne comprenais pas cette attitude, j'y sentais à la fois un accueil discret et une espèce de raideur craintive. Nous regardions la route sans mot dire, au milieu des motos qui passaient en trombe un cycliste tenait en équilibre des empilements de corbeilles, trois jeunes écolières avançaient en robes d'uniforme, leur gamelle vide en bandoulière, un vieil homme presque nu tirait une charrette de foin, sans fin défilait le cortège de la vie indienne, avatars, manifestations, incarnations, masques. J'ai fini par parler, j'ai dit que depuis mon arrivée il me semblait voir des signes partout, j'étais à la recherche d'une femme introuvable et tout me parlait d'elle, je rencontrais Vishram par hasard et j'avais l'impression qu'il savait quelque chose, j'étais ici sous l'auvent de la villa et c'est comme si j'avais rêvé le lieu. Ce doit être une maladie indienne, a observé Angha avec une malice que je ne lui aurais pas soupçonnée, et notre dialogue s'est amorcé ainsi, toujours au bord d'être couvert par les bruits de la rue, car elle murmurait plus qu'elle ne parlait. Elle avait connu Vishram Sarat comme professeur de Bharata Natyam mais il avait été victime d'un très grave accident de la route et il était resté longtemps au bord de la mort. Il n'avait retrouvé la vie que lentement, pendant plusieurs mois il ne pouvait même plus bouger un doigt de sa main, demeurait tout le jour allongé sur sa couche, paupières ouvertes ou fermées comme s'il ne lui restait plus que deux choses au monde : regarder et dormir. C'est là qu'il avait appris tout ce qu'il savait maintenant, dans le moment de l'immobilité d'abord puis dans le moment, très long, où il avait recommencé à vivre. Malheureusement la souplesse n'était pas revenue dans son corps, même si son œil demeurait vif, son oreille intacte et s'il continuait à être un maître de danse. Le métier qu'il faisait maintenant était un peu particulier, il devrait être dévolu aux prêtres, mais les prêtres étaient enfermés dans leurs écritures, leurs cérémonies et leurs temples, ils prenaient rarement la peine d'écouter les hommes. Alors c'est lui qu'on venait chercher parfois de très loin. Cette nuit, quelqu'un avait appelé à Betim et il lui avait fallu partir sans attendre. Tout en me parlant à voix basse Angha restait de profil, la tête un peu penchée comme Vishram quand il se parlait à lui-même. J'aurais aimé qu'il me laisse un message, lui dis-je, il me semble que des choses n'ont pas été dites. Elle m'a regardé en silence, elle a eu un geste de la main évasif qui semblait signifier c'est ainsi, ou tout aussi bien : laissez tout cela, laissez… Puis un jeune garçon l'a hélée depuis la grille d'entrée, il lui apportait des mangues qu'elle est allée déposer dans la cuisine et quand elle est revenue son expression avait changé : plus absente tout à coup, le regard un rien fixe. Elle s'est d'abord assise à la même place, les mains toujours sur ses genoux, puis je l'ai vue dégrafer lentement le demi-diadème de jasmin blanc qui ornait ses cheveux, ensuite cérémonieusement, venir le poser à mes pieds. Je ne comprenais pas, cela ressemblait à un don, une offrande, ou une marque de très grande estime, mais cela devait signifier autre chose. Elle ne m'a pas laissé l'interroger, s'est inclinée aussitôt mains jointes, a murmuré dans un souffle qu'elle devait me laisser.

Sanjay n'était pas là. Mes pas m'ont mené au hasard vers le quartier de Santa Ines où se côtoient le lieu de crémation hindou et les cimetières musulman et chrétien. Sous la tôle ondulée s'alignaient quelques groupes de pieux métalliques dont deux étaient chargés de bois pour les bûchers du lendemain. Les employés du Fire Service arboraient un grand sourire mais ne pouvaient me donner le nom de la déesse dont un minuscule autel marquait ce lieu désolé. Plus loin s'étendait un vaste terrain muré où quelques stèles à l'abandon émergeaient des herbes hautes. Et plus loin se dressait le clocher de Santa Ines avec sa flamboyante nécropole : forêt de croix de pierre, anges et vierges symbolistes, petits mausolées de marbre, j'ai cherché quelques noms, tous portugais, *Maria Mascarenhas*, *Otilia Pinto Rebelo*..., puis à la vue d'une tombe fraîchement ouverte, je me suis enfui.

Intrigué par le diadème de jasmin posé sur ma table d'hôtel et dont les fleurs déjà brunissent. Retranscrivant les paroles d'Angha le plus fidèlement possible. Repensant à son attitude, proche et distante, son geste d'offrande, comme engoncé par une convention, cet autre geste un peu plus tôt quand elle semblait me dire avec insouciance : soyez ouvert à ce qui vous arrive, prenez les choses comme elles vous sont données... Me souvenant de Joy à Anjuna lorsqu'elle m'intimait de ne plus la toucher, mais sans rejet, sans raideur, comme une invite naturelle, l'installation d'une loi étrange, il faut comprendre, disait-elle, que tout ceci est sacré.

Elle émerge de l'ombre des palmiers d'Anjuna, elle se détache de la cohue du Flea Market, elle incline la tête en souriant puis marche vers moi d'un pas tranquille, je la vois apparaître dans la lumière de la plage, sur le seuil bleu-vert de la chambre, je la regarde sous le rythme qui secoue la foule dans un shak de Calangute, elle est immobile au milieu des corps qui dansent, elle m'observe fixement comme pour dire je n'appartiens pas à leur monde, c'est toi que je choisis, toi seul au milieu des autres, unique objet de mon aspiration, ou tout aussi bien : je suis l'étrangère, pour toujours ta compagne étrangère, celle que tu connais dans l'intime, celle que tu ne connais pas.

Panjim, 7 mars. Ce matin un employé de l'hôtel est venu frapper à ma porte en m'indiquant qu'il y avait quelqu'un pour moi. Angha m'attendait sous l'acacia de l'autre côté de la route. Elle avait en main une housse noire enfermant ce qui devait être un instrument de musique en forme de tanpura ou de sitar. Elle m'a invité à la suivre en direction du fleuve. Nous avons marché jusqu'à l'attroupement qui attendait le bac vers Betim. L'embarcation était vieille et sale, avec un assourdissant bruit de moteur qui nous empêchait de nous parler. Mais il n'y avait rien à dire de toute façon, Angha avait tourné la tête vers la rive d'en face d'où nous regardions grandir lentement les maisons et les arbres. Une fois débarqués à Betim nous avons pris un moto-rickshaw pour longer le fleuve, Angha avait relevé le pan de son sari sur son visage et ne disait toujours rien. Sur la berge nous avons dépassé un damier de rizières asséchées, puis la route s'est mise à grimper vers une forêt de pylônes, Pilerne Industrial Estate, ensuite Saligao dont les maisons s'étageaient dans la forêt le long de la route descendante. Là, elle a fait arrêter le chauffeur à la naissance d'un sentier, non loin d'une maison à deux étages dont éclatait parmi les arbres la couleur vert émeraude. Au bord de la route il y avait un ficus centenaire, des lianes grises tombaient de ses branches et créaient tout un réseau anfractueux au fond duquel une petite niche creuse avait été aménagée. Angha a sorti le sitar de sa housse et s'est mise à pincer les cordes pour accorder l'instrument, puis elle s'est éloignée dans la direction de la maison. J'ai attendu plus de deux heures, quelques enfants s'étaient attroupés pour m'observer en silence. Au milieu du va-et-vient ordinaire des passants, chèvres, ânes, bicyclettes, femmes revenant des champs, je devinais tout un jeu d'allées et venues autour de la maison émeraude. J'ai fini par m'approcher, pousser à mon tour la porte, me retrouver dans une petite cour blanchie à la chaux, avec un tapis de piments rouges qui séchaient sur le sol et une antique moto sans roue, repoussée dans un coin. De l'intérieur de la maison j'entendais l'égrènement limpide du sitar sur lequel la voix de Angha modulait sans fin cette espèce de question étonnée, chavirée, infinie, de la mélopée indienne. Une vieille femme est sortie de l'ombre de la maison et m'a apostrophé avec hostilité. Plus tard, alors que j'étais revenu au pied de l'arbre, j'ai reconnu la silhouette de Vishram qui venait vers moi, en boitant. Il s'est accroupi à mes côtés, se frottant les yeux tant il semblait fatigué. Après un temps il s'est mis à me parler. Il disait qu'elle allait partir maintenant, qu'elle avait commencé à lâcher. J'avais l'impression qu'il prolongeait notre conversation dans la cahute du vendeur de thé, même s'il ne parlait pas de la même personne. Celle-ci avait eu une longue vie et avait tenu à attendre son dernier fils qui travaillait à Mysore. Maintenant que son cadet était là tout irait plus calmement, disait-il… Un très jeune enfant est venu nous apporter une platée de riz safrané et un petit bol de sauce avec une cuillère. La cuillère était pour moi, Vishram faisait des boulettes avec sa main et les trempait dans la sauce. Nous partagions le repas en silence, il n'avait plus envie de parler.

Vers trois ou quatre heures de l'après-midi alors qu'il était retourné depuis quelque temps dans la maison j'ai soudain entendu des cris et j'ai vu les femmes sortir en levant les bras au ciel. Mais il y avait ceci de singulier : j'entendais leurs pleurs au loin, je voyais converger tout le village vers la petite porte de la maison et au même instant je sentais en moi une paix soudaine, inhabituelle, une espèce de profond soulagement, l'impression que toute la tension accumulée depuis mon arrivée en Inde venait à cet instant de se relâcher.

Angha me guidait dans la nuit. Nous avions retraversé le village de Betim et dépassé la jetée vers Panjim à une heure où le dernier bac devait être parti. Dépassé aussi la route de Mapusa en direction de Britona et du Bird Sanctuary. Il y avait là au bord du fleuve un vieux *tourist resort* des années soixante qui louait quelques pavillons sous les arbres. Des familles pauvres s'étaient approprié ces paillottes, sur les seuils il y pendait du linge, des casseroles séchaient, parfois un foyer de pierre dégageait une fumée âcre, et des enfants presque nus nous scrutaient dans l'obscurité. Angha marchait toujours un pas au-devant de moi. Tout au bord de l'eau les derniers pavillons semblaient inhabités, nous nous sommes dirigés vers l'un d'eux, la porte était difficile à ouvrir mais elle n'était pas verrouillée, il y avait deux lits à l'intérieur, avec des couvre-lits et des draps comme si la chambre avait conservé sa vocation hôtelière. Angha a allumé une bougie, un petit cône d'encens et une lampe-tempête qu'elle a accrochée au-dessus de la porte, enfin elle a eu un geste de la main pour m'inviter à me coucher.

Le roulement du fleuve était doux, incessant, rafraîchissant l'air de la nuit. De gros insectes agaçaient la flamme et l'encens était lourd, pourtant je n'avais pas vraiment peur, je crois que je me sentais dans la main d'Angha, sous sa protection. Vers dix ou onze heures j'ai cru entendre des pas légers, timides qui se dirigeaient vers la paillotte. Puis je n'ai plus rien entendu.

Avance-toi, murmure Joy, n'aie pas peur, elle cache mes yeux, elle chuchote, elle chante, elle dit tu ne sais rien, tu as tout oublié, elle raconte une histoire incompréhensible, elle disparaît, j'entends son pas qui revient, rôde, j'entends craquer l'allumette, je sens une odeur de brûlé, je la cherche, je l'ai perdue, elle était là pourtant, elle disait tu peux maintenant, tu peux, la nuit est tombée depuis longtemps mais nous ne nous retrouvons pas encore, un instant plus tôt nous marchions le long de la vague et il n'y avait à nos pieds que cette immense présence écumeuse avec là-bas le liseré noir des arbres et au loin une enseigne de néon rouge SEA BIRD qui perçait les branchages, viens maintenant, me dit-elle, viens, viens, lente est la fête, lente la célébration, lente la joie mystérieuse, je lui dis que son corps est beau, comme son corps est beau, je pleure, les souffles sont accordés, les gestes sont accordés, les peaux infiniment s'accordent, je m'enlise et je pleure, je me démêle sans fin d'un réseau de lianes, elle dit j'aime ce nom Anjuna, viens que je te baptise, Anjuna que nous sommes, Anjuna que nous serons toujours, je lui dis Joy, Joy, elle s'absente, à nouveau je croirais la perdre, c'est son souffle pourtant, c'est le bruit de la mer son souffle, si lente à l'étreinte et plus lente encore à desserrer l'étreinte, la lumière a changé, son doigt trace mes lèvres et ma nuque, trace torse et ventre, trace sexe dressé, trace l'intérieur de ma jambe, rien n'est oublié, rien n'est perdu, rien n'est abîmé, rien n'est inutile, garde pour toi, dit-elle, ton lait, ton miel, ton ensemencement, je tremble, mon cœur se soulève, elle a renversé la tête et elle a poussé un cri.

Panjim, 8 mars. Angha a laissé pour moi une petite pierre à la réception de l'hôtel, c'est un galet noir et rond bordé d'une empreinte fossile qui le fait ressembler à un soleil. Ils appellent cela un Salagram, cadeau d'adieu qu'elle n'a accompagné d'aucun mot. Sur la route de l'aéroport j'ai gardé ces trois images. Une fumée qui montait très droit depuis la berge du fleuve. Un vieil homme s'avançant torse nu dans l'eau grise. Trois femmes qui marchaient en ligne vers la forêt, par la fenêtre du taxi je fixais ces trois silhouettes de couleurs, trois taches filiformes qui fusionnaient l'une en l'autre puis se confondaient à l'ombre des arbres et rien d'autre un long moment que la trace de leur présence peu à peu absorbée par la lisière sombre.

LA CONVOCATION

« L'extraordinaire commence au moment où je m'arrête. »

Maurice BLANCHOT, *L'Arrêt de mort*

Surpris, un moment surpris par une sensation très nette de déjà-vécu, alors que je venais d'ouvrir ma valise sur le couvre-lit de coton bronze et que j'étais là debout dans cette chambre d'hôtel incendiée par le soleil d'après-midi, tandis qu'une sirène d'ambulance hululait dans la ville. Quelqu'un dont l'heure était venue, me disais-je, sentant mon souffle court, cette oppression qui ne me quittait plus depuis mon arrivée à l'aéroport d'Elmas, l'interminable attente des bagages au pied des tapis roulants, et même, plus sourdement, depuis le départ du vol, lorsque s'étaient refermées les portières blanches sur le grand tombeau fuselé. Plus tard nous avions approché l'île, survolé son tapis de montagnes chauves, sa côte étincelante, ses villages étoilés au fond des vallées, puis une ravissante hôtesse blonde s'était penchée vers moi avec une nuance de compassion dans son regard bleu, comme si elle me sentait guetté par un danger, une maladie fatale, et pendant un long moment je n'avais su que lui répondre, thé ou café, pensant soudain à L., pensant que l'hôtesse n'avait pourtant aucune ressemblance avec L., qui était plutôt châtain sombre, les yeux marron, pensant que L. ne se maquillait jamais ainsi les lèvres, puis m'entendant bredouiller à tout hasard : thé. Et tandis que je continuais à ranger mes affaires, méthodiquement, dans la garde-robe en acajou de la chambre d'hôtel je prenais enfin conscience de cet extraordinaire aveuglement qui m'avait fait occulter l'idée que je revenais sur les lieux de L., sur mes lieux avec L., croyant éviter sa mémoire en réservant cet hôtel Regina Margherita où nous n'avions jamais été, qu'elle aurait sans aucun doute détesté pour ses allures d'hôtel international, avec son hall marbré, son luxe sobre et standardisé, comme s'il était possible de revenir dans la ville d'un amour en évitant les lieux de cet amour. La sirène d'ambulance sombrait peu à peu dans la rumeur du trafic et j'étais là face aux étagères vides de la garde-robe à me dire que cette sensation de déjà-vécu devait s'appliquer à un autre hôtel de la même ville, une autre chambre exactement, la chambre rouge du Miramare ou la chambre face au golfe du Mediterraneo, ce soir où L. couchée sur le lit derrière moi et feuilletant distraitement un magazine, murmurait avec son ironie habituelle : tu t'installes déjà, tu aimes t'installer toi, tu voudrais que l'on s'installe pour l'éternité…

Monsieur,

Ce temps béni qui nous appartenait alors pour quatre ou cinq jours de la mi-septembre, dans cette ville désignée entre toutes parce qu'elle nous donnait l'illusion d'être hors du monde, inconnus de tous et libres, dans la délicieuse permission de tout décider au moment ultime, selon l'humeur du moment, partir pour la journée entière ou lézarder sur la plage, louer une voiture vers Villasimius ou traîner dans le labyrinthe des venelles entre la Torre di San Pancrazio et la Terrazza Umberto I, contempler de là-haut les salines ou rôder autour de la Piazza del Carmine, longer le Lungomare en direction de la capitainerie ou flâner vers Santa Rosalia, en prenant l'ombre des grands arbres, aux racines tordues, aux troncs creusés d'inscriptions amoureuses, cœurs et majuscules enlacés, comme nous l'avions fait en septembre de l'année précédente, selon le même parcours indécis, en marchant sur nos propres traces, comme pour installer une permanence du réel dans ce qui quelques jours plus tard appartiendrait au temps du rêve, le rêve d'une ville dont les sensations se graveraient en moi avec précision sans me donner pourtant la certitude d'y être allé autrement qu'en rêve. Alors c'est vrai, je prenais à chaque fois un certain plaisir à installer méthodiquement mes affaires dans l'armoire à étagères de la chambre du Miramare ou du Mediterraneo, elle gardait ses vêtements dans sa valise, les dispersant chaque jour un peu plus sur la moquette, les chaises, les appuis de fenêtre, en se moquant de mes envies d'installation, la moquerie ou l'ironie douce étant entre nous une manière de pudeur, manière de nous tenir à distance dans ce temps rare, unique et saturé de lumière que nous nous étions donné.

Monsieur,
Ma lettre vous surprendra sans doute

Et tout au fond du sommeil qui m'avait écroulé pour à peine quelques minutes dans la chambre du Regina Margherita, tout au fond du marais d'inconscience, il y avait eu le tintement suraigu du téléphone, la voix sèche, lointaine, du réceptionniste dont, le cœur battant, je me voyais tenter de noter le message sur le petit bloc à en-tête de l'hôtel : *appel de monsieur Minghelli, rendez-vous reporté à 20 h, Hall de l'hôtel Due Colonne.* Me demandant par quel stratagème, quel incroyable hasard, cet homme savait que j'étais descendu au Regina Margherita, puis me disant – sans être tout à fait rassuré par cette explication – que pris par un retard inopiné il avait dû demander à sa secrétaire de joindre tous les hôtels de la ville. Et j'étais dans la salle de bains à me frictionner le visage avec de l'eau froide, j'essayais de me souvenir de l'hôtel Due Colonne qui était un vieil établissement où L. et moi n'avions jamais été, l'évocation de l'hôtel me faisait imaginer pour la centième fois ma rencontre avec l'homme, grand et noir, impérieux, immobile, me détaillant de la tête au pied, et moi marchant vers lui comme au-devant de ma propre défaite, mon propre anéantissement, parce que cet homme savait, parce qu'il était dans l'absolue clarté de la connaissance alors que moi je ne savais rien, je craignais, je croyais, je pouvais supposer, je n'avais pour certitude que les quelques mots de sa lettre :

Monsieur,
Ma lettre vous surprendra sans doute mais il est des silences plus lourds, plus déchirants, que tous les mots de la discorde.

Ce mot curieux de discorde (mais maîtrisait-il le français ?), cette énigmatique première phrase que j'avais retournée maintes fois dans ma tête, me répétant que son silence n'était pas le mien, qu'il n'avait aucun droit sur mon silence, que je n'avais aucune obligation, rien, strictement rien à partager avec cet homme qui m'adressait sur papier à en-tête professionnel, *Stefano Minghelli, Expertise et Restauration d'art,* une longue lettre manuscrite que j'avais d'abord lue sans comprendre jusqu'à buter sur les premiers mots du quatrième alinéa. *À présent que tout est fini,* ne voyant plus que cette phrase, ce mot *fini,* le relisant incrédule, *fini, fini,* cherchant à le vider de son sens, lui inventer un contexte, une intention secrète, me convaincre que ce n'était fini qu'entre eux et qu'il cherchait, mari éperdu, à retrouver sa trace, puis finissant à bout de spéculations par me dire que son souhait de me rencontrer témoignait à tout le moins d'une vie de L., une vie au-delà de L., et qu'il me fallait quoi qu'il m'en coûte aller au-devant de cette vie.

Monsieur,
Ma lettre vous surprendra sans doute mais il est des silences plus lourds, plus déchirants, que tous les mots de la discorde.
J'ai sur mon bureau depuis quelque temps le courrier que vous avez adressé à L. J'ai pris la liberté de l'ouvrir afin d'y trouver votre adresse. Sachez que je n'ai rien voulu lire de ce qui vous appartient.
Je n'ignore pas que vous vous êtes vus régulièrement et je ne porte d'ailleurs aucun jugement sur ces rencontres. Simplement cette lettre m'a-t-elle livré votre nom et la possibilité de vous atteindre.

À présent que tout est fini j'ose croire qu'il est possible que nous parlions vous et moi sans nous protéger trop.

Et je me souvenais de la dernière nuit passée au Mediterraneo lorsque je m'étais réveillé vers trois ou quatre heures du matin, que L. avait ouvert toute grande la tenture de la chambre et qu'elle était là de dos face à l'immense baie vitrée, le sombre miroitement de la mer, et dans la déclivité à droite la profuse et palpitante présence de la cité endormie. Quelques heures plus tôt nous avions fait l'amour dans l'obscurité absolue, ivres de tout ce vin rouge et ces deux verres de myrte bus jusqu'à la dernière goutte, il y avait donc eu cette ivresse, cet amour bâclé, aussitôt écrasé de sommeil et je m'étais réveillé vers trois ou quatre heures à côté de sa place vide, le grand drap défait, le vaste et vertigineux espace de la nuit, cette clarté tremblante qui diffusait de la ville portuaire, sentant que nous venions de basculer dans un autre temps et qu'il n'était pas normal, pas habituel, qu'elle soit là au pied du sofa, son peignoir de satin roulé entre ses jambes, comme si au retour de la salle de bains elle s'était laissé fasciner par le spectacle de la nuit, avait ouvert les tentures toutes grandes pour nourrir cette fascination. Alors j'étais allé vers elle et j'avais vu qu'elle pleurait, se frottait les joues avec le plat de la main, refusant de dire pourquoi elle pleurait, répétant simplement que je n'étais pas en cause, tandis que je tentais maladroitement de la consoler, me sentant aspiré vers ce que nous ne voulions pas : ce langage des amours inquiets, pressants, inquisiteurs, qui veut faire pièce au silence, repousser à tout prix le silence, ce même silence que jusque-là nous avions pourtant érigé en vertu, parce qu'il devait protéger nos vies des mensonges, des complications, préserver, pensions-nous, le commencement de l'amour, si ce mot avait un sens, *l'innamoramento.* Et plus tard dans la nuit elle avait fini par se laisser tirer vers le lit, faire l'amour une dernière fois au-dessus de l'immense moire du golfe, dans la faible clarté de réflexion des feux, fanaux, luminaires, alors que, je le devinais, son regard était vide et elle se laissait aller comme jamais elle ne s'était laissée aller, il y avait dans son lâcher prise quelque chose de perdu, éperdu, ni donné ni même consenti, comme si elle faisait l'amour pour le seul désir d'abolir en elle toute tension, s'exténuer le corps, le projeter à perte dans ce combat qui n'était plus que contre elle-même, avant que le ressac nous rejette loin l'un de l'autre, seuls, exténués, seuls, avec soudain le souffle lourd, le poids des membres, le désenchantement, pas un mot qui ne puisse se dire, jusqu'à ce qu'elle se tourne à nouveau vers la baie vitrée, les chiffres rouges de l'horloge digitale qui marquaient cinq heures, soit deux petites heures restantes avant le départ, l'engouffrement des dernières images, la précipitation des adieux. Sauf que cette fois-là, cette ultime fois, il me resterait son sourire à l'aéroport d'Elmas, l'événement de son sourire : elle s'était retournée au milieu de la foule, au seuil des portes d'embarquement, et m'avait adressé de loin un sourire navré, infiniment tendre, comme pour dire excuse-moi pour la nuit dernière, ce que je n'ai pas pu te dire, de toute façon je n'aurais pas pu, non je n'aurais pas pu.

Pour des raisons professionnelles je serai à Cagliari le 6 du mois prochain. 18 h est une heure qui me conviendrait. Espérant que l'idée et le moment du rendez-vous vous agréent

Et tandis que je descendais la Via Regina Margherita, alors que l'heure du rendez-vous était presque passée, que je devais absolument presser le pas parce que j'avais une fois de plus traîné avant de partir, selon ma vieille habitude de craindre d'être trop tôt, jusqu'à ce que l'urgence décide à ma place, et que sur le trottoir de la Via Regina Margherita je ressente soudain le même soulèvement de cœur que quand nous allions nous retrouver L. et moi, que j'allais la voir dans un instant apparaître à l'angle d'une rue, au sortir d'une trattoria ou me faisant signe de loin sur un terre-plein en bord de mer, comme si mon cœur n'avait pas vraiment compris lui, qu'il croyait encore, mon cœur, à cette trouée miraculeuse entre les passants qui remontaient la Via Regina Margherita, se faufilaient entre les tables du Portico, les luxueuses arcades illuminées longeant la Via Roma, et lorsque j'avais vu se dresser devant moi le portail du Due Colonne j'avais cherché à retrouver coûte que coûte mon calme, mon pas tranquille, vérifiant que l'heure n'avait été dépassée que de une ou deux minutes, et me laissant aller à cette croyance absurde, puérile, selon laquelle le dernier arrivé garde la maîtrise du temps.

Espérant que l'idée et l'heure du rendez-vous vous agréent je vous attendrai dans le hall de l'hôtel Due Colonne, seul hôtel que je connaisse dans cette ville lointaine.

Découvrant d'abord qu'il n'y avait pas vraiment de hall mais un escalier, il y avait sur le palier d'étage ce réceptionniste indien qui derrière son comptoir tendait vers moi son visage poupin, suave, dans la lumière dorée de la lampe à abat-jour, *May I help you sir ?*, et moi surpris tout à coup qu'il s'adresse à moi en langue internationale, moi cherchant soudain le nom, pensant *Minelli*, *Stefano Minelli*, pensant que ce n'était pas le nom exact, pensant non pas *Minelli* comme *Liza Minelli*, jusqu'à ce que le petit homme coupant court à mon bredouillement désigne du menton une présence assise dans la salle de restaurant contiguë, silhouette en manteau noir à demi brisée par la porte vitrée entrouverte et qui attendait en profil détourné, semblait ne m'avoir pas entendu, regardait vers la fenêtre, ses mains gantées posées sur la table comme des poids morts, son visage barré de lunettes fumées, ses longs cheveux blancs rejetés vers l'arrière, à quelques pas de moi la terrifiante puissance de son impassibilité.

Stefano Minghelli

S'était décollé de son siège pour me serrer la main puis d'un geste vague m'avait invité à prendre place face à lui, se rasseyant, se renfonçant plutôt, dans le fauteuil, alors que ma première pensée était celle-ci : c'est un vieil homme, ainsi donc le mari de L. est un vieil homme, mais j'avais peur en vérité, quelque chose chez cet homme me faisait peur, non tant son teint pâle que sa lenteur, l'insistance lente de son regard, cette manière qu'il avait de me dévisager lentement comme s'il cherchait à me faire entrer dans son temps malade. Pourtant ses premiers mots étaient aimables, au-delà de la simple courtoisie, prononcés d'une voix éteinte dans un français parfait : je vous suis reconnaissant d'être venu, monsieur, l'endroit n'est pas idéal mais nous ne serons pas dérangés, j'ose croire que si vous avez accepté de venir c'est que vous avez vos raisons comme j'ai mes raisons de vous avoir fait venir, gageons qu'il n'est pas impossible que nos raisons se rencontrent. Il s'était interrompu là, se tournant vers la fenêtre, prenant un long temps de silence avant de revenir vers moi, ses yeux comme d'indistinctes taches fixes derrière le verre fumé de ses lunettes, et reprendre du même ton évidé, fatigué, monocorde : il y a dans cette ville une vieille femme riche qui possède un dessin de maître inconnu, une esquisse pour une dormition de la Vierge que l'un de mes collègues aurait selon elle attribué à Filippo Lippi, elle m'a envoyé les photos du dessin et me fait venir pour l'expertiser, elle me donnerait toute sa fortune pour que je prouve que c'est un authentique Filippo Lippi alors qu'au vu de la photo et pour qui connaît un peu la manière du peintre ce ne peut pas être un Filippo Lippi, seulement voilà : ce dessin m'émeut, le visage de la Vierge surtout, je découvre dans le trait une modernité qui me trouble, et peut-être même une ressemblance, je souhaiterais l'acquérir, comme ma position d'expert m'interdit une transaction de ce type il faudrait que quelqu'un le fasse à ma place, y verriez-vous une objection ? Et il avait esquissé un lointain sourire, un étirement des lèvres plutôt, sans la moindre chaleur, comme s'il souriait à mon ébahissement, l'effet sur moi de cette proposition fantasque et stupéfiante, puis son visage s'était assombri. Vous l'avez connue n'est-ce pas ? avait-il hasardé d'une voix sourde et je me souviens que juste à ce moment une femme en imperméable blanc venait de faire irruption dans le hall de la réception pour déposer sa clef sur le comptoir avant de disparaître sans un mot vers l'escalier, ses talons sonnant à chaque marche jusqu'à ce que le bruit de la rue, amplifié un bref instant par l'ouverture de la porte, les avale définitivement. Ce n'est pas que je veuille savoir des choses, avait-il repris en se raclant la gorge, grâce à Dieu je n'ai pas le tempérament jaloux et nous formions un couple assez libre, c'est d'ailleurs la condition qu'elle avait posée à notre compagnonnage, cela nous convenait à l'un comme à l'autre, je crois même que cet esprit de liberté permettait plus qu'il n'empêchait une forme de fidélité profonde puisque nous sommes restés ensemble pendant vingt-trois ans et que nous avons élevé deux filles splendides, mais aujourd'hui qu'elle est partie, il me semble que je n'ai pas tout à fait compris quelque chose, je n'ai peut-être rien compris. De son vivant le fait qu'elle m'échappait toujours un peu la rendait incontestablement plus belle, à présent je n'ai plus sa beauté sous les yeux, je n'ai plus, comment dire, la surprise, le mouvement fuyant de sa beauté, et il me semble que le monde sans elle est peuplé de signes, de ce que je n'ai pas saisi, de ce qui s'est passé en dehors de moi, dans ma parfaite ignorance, alors il m'arrive des choses étranges, je me vois faire des choses étranges, j'erre dans le monde qui a dû être le sien, je cherche des gens qui l'ont connue, je les agace avec des questions qui n'ont sans doute pas de réponse, je suis un homme perdu. Sur ces mots il était resté en arrêt, comme stupéfié. Vous l'avez aimée ? avait-il demandé plus tard d'une voix noyée, presque inaudible à l'instant où j'entendais, je réentendais encore : *de son vivant*, il avait dit *de son vivant*, preuve s'il en était, preuve irréfutable de ce à quoi jusque-là je n'avais pas voulu croire, même si la lettre l'énonçait presque en toute clarté, et tandis qu'il me fixait toujours en silence derrière ses lunettes noires je m'entendais chercher à articuler quelque chose comme : que s'est-il passé ? Sa réponse avait été immédiate : chute de soixante mètres, puis quelques mots incompréhensibles, peut-être le lieu du drame ou peut-être ces mots, recomposés plus tard : morte sur le coup. Je préfère penser que le monde s'est dérobé sous elle, avait-il ajouté, le monde la portait jusque-là puis il ne la portait plus. Sa main tordait son gant de cuir, il prenait d'amples respirations pour retrouver contenance, plus tard il avait murmuré : une image, une seule image et vous êtes chassés du monde, aujourd'hui je n'ai plus que mes filles, la présence de notre petite Luna qui. Les derniers mots avaient été avalés, son visage s'était détourné, tempes serrées, lèvres tremblantes, toute la tension de son corps luttant contre les larmes, à l'instant où de l'autre côté de la porte vitrée un couple de Japonais ou de Coréens venait de déposer ses valises au pied du comptoir, la femme parlait par petits jets perçants d'une réservation, le réceptionniste vérifiait sur l'écran, et toute la scène appartenait au monde lissé, quotidien, prévisible, tranquille qui était le monde, le vrai ou le faux monde, la femme insistait pour avoir deux lits et l'on voyait le petit réceptionniste indien dodeliner de la tête comme un oui-non maniéré, douceâtre dans la clarté bleutée de l'écran d'ordinateur.

« Quel signe gardes-tu sur tes lèvres noires
Quelle pauvre parole quand tout se tait. »

Pouvez-vous m'aider ? m'avait-il demandé un long temps plus tard d'une voix défaite, un ton où perçait l'imploration. Et il s'était penché vers son cartable pour en sortir une enveloppe contenant une photographie de la grandeur d'une carte postale représentant un détail du dessin dont il m'avait parlé : visage de jeune fille, dormition de la Vierge, un homme au-dessus d'elle, saint Jean sans doute à son chevet, une quiétude, un apaisement sur les traits de la morte, elle ne ressemblait pas à L. mais il y avait peut-être un nimbe, peut-être une ressemblance (avait-il dit) qui intriguait le regard. Est-ce vraiment pour ce dessin que vous avez désiré me rencontrer ? m'étais-je entendu lui demander, il m'avait répondu d'un ton sec, sans la moindre hésitation : pour L. de toute évidence, afin que nous parlions de L.

vous et moi, sans nous protéger trop.

Écroulé ce soir-là sur l'un des bancs de la Piazza Matteotti, alors qu'il devait être passé dix heures du soir, que j'avais arpenté tout le lungomare en direction de Sant'Elia, longeant la Stazione Marittima, le port de plaisance, la zone militaire, le terre-plein asphalté et sa gigantesque grue à conteneurs puis faisant demi-tour et repartant presque au pas de course vers les gares ferroviaires et routières, afin que peu à peu s'épuise l'image, ce corps de L. que je voyais couché au pied d'un surplomb de soixante mètres, falaise, façade, muraille de granit aveugle, comme s'il y avait deux mondes, celui des feux du port, de la Via Roma encore embouteillée à cette heure, avec le dernier ferry tout illuminé qui contournait lentement le môle en direction de Gênes, Palerme ou Civitavecchia, et l'autre monde d'effroi et de douceur où se recroquevillait lentement le corps de L., se laissant aller à un ultime tressaillement, une rétractation réflexe, animale, comme quand je la regardais endormie dans le lit de la chambre et que sous la lumière de la veilleuse je la trouvais belle dans son abandon, elle qui ne cédait jamais, ne lâchait jamais prise, et je me souviens que sur ce banc de la Piazza Matteotti j'éprouvais soudain une inexplicable sympathie, presque un sentiment d'amour à l'endroit de l'homme en noir qui en me quittant avait gardé longtemps ma main dans les siennes, comme si nous appartenions lui et moi à ce monde hors du monde, ce cercle de chuchotements et de sidération, tous deux penchés au-dessus du corps de L. Le vent était tiède, parfois un piaulement métallique déchirait la rumeur du côté du port industriel, comme si toute la nuit avait bougé sur ses gonds, que les plaques tectoniques de la nuit crissaient l'une au-dessus de l'autre pour chercher l'impossible accord des mondes, le leur et le nôtre à jamais

dévasté.

Puis, dans cette pizzeria encore ouverte, écrasée par les néons blancs, seul avec cette femme saoule qui pérorait en me regardant derrière quatre rangées de tables vides, comme si elle lisait sur mon visage l'étendue de ce qui s'était passé, commentait à distance le défait, le décomposé de mon visage, alors que j'étais là sans faim devant cette immense pizzacroûte aux concrétions de viande grillée, que mon regard fuyait sans cesse vers les lettres inversées de la vitrine, l'ombre pressée des derniers passants, parce que je n'aurais jamais dû entrer dans cet établissement, me disais-je, parce que j'y étais entré sans autre désir que de m'abrutir de bière et de nourriture, et parce qu'il m'était impossible de soutenir plus longtemps le regard, la face blêmie de cette pocharde péroreuse, habituée du lieu de toute évidence et qui s'adressait à moi, même si elle ne parlait que pour elle, même si ce n'était que de la verbigération malade, un soliloque en sarde dont je ne comprenais pas un mot, une langue âpre et zézayeuse qu'elle marmottait sous le vacarme de la soufflerie, n'éveillant qu'indifférence chez le cuisinier chauve courbé sur ses comptes de la journée, sa grande table enfarinée, devant le fond orageux du four, et quand la soufflerie s'était arrêtée la femme s'était tue presque au même instant, m'avait guetté en silence puis s'était décidée à se lever en s'appuyant sur les dossiers des chaises pour s'asseoir, s'affaler plutôt face à moi, les lèvres tordues par un sourire humide, les grands yeux illuminés, balbutiant *deu ti connosciu, deu ti connosciu meda beni*, je te connais toi, je te connais très bien, si bien que le cuisinier avait un instant relevé la tête de ses comptes, prêt à l'apostropher d'une voix fatiguée, laisse les clients tranquilles, laisse-les, veux-tu, laisse...

L. était un être dont la lumière et la folle exigence me laissent aujourd'hui dévasté. Son absence me renvoie à cette lumière et à tenter sans fin de comprendre ce que recèle ce vers du poète :

« Quel signe gardes-tu sur tes lèvres noires
Quelle pauvre parole quand tout se tait. »

Ne sachant plus dans la brusque obscurité si le numéro de ma chambre était le 504 ou le 506, déclenchant à l'aveugle le bouton de la minuterie et retrouvant le 504 sur la petite carte magnétique que j'introduisais dans la fente, basculant d'un coup dans l'intimité de la chambre double du Regina Margherita avec son couvre-lit couleur bronze et ses trois lumières d'abat-jour, dans ma main le message qu'avait griffonné le réceptionniste *M. Minghelli vous attend demain via S. Croce, 13 h, ristorante Le Tre Parche,* me disant que je connaissais ce restaurant, que L. et moi nous avions dû l'essayer une fois au moins, que son mari l'avait peut-être choisi pour cette raison-là (mais comment aurait-il su ?) ou plus probablement pour le nom, sélectionné dans une liste de noms, ces trois Parques ou Moires, antiques filandières, maîtresses des destinées, dont l'une coupait le fil des vies, le fil de la vie de L. brisé à quarante-six ans, le monde qui s'était dérobé sous elle, avait-il dit, comme si le monde nous portait chacun à chaque seconde, chaque souffle, chaque battement de cœur, et je revoyais tout à coup le visage blanc, l'absence de regard de l'homme, ce sourire qui l'avait brièvement éclairé après l'évocation du Filippo Lippi, comme s'il lui restait ce dernier plaisir d'inventer des histoires facétieuses, l'ultime facétie étant de me donner rendez-vous sur les lieux mêmes de mon intimité avec L., et quand je m'étais glissé dans les draps froids, légers, satinés, c'est son corps qui m'était revenu puissamment en mémoire, alors que je ne le voulais pas pourtant, c'est son corps ferme de garçonne, de petite sœur rétive telle qu'elle s'offrait soudain yeux clos dans l'intimité de la chambre, offrait ses lèvres intouchables, territoires sacrés, lieux de nos liturgies, comme quand je la saisissais doucement à l'arrière de la nuque et qu'elle ne pouvait manquer de sourire : tu me fais grelotter grand monstre, paroles et gestes pour nous seuls, composé de secrets, enfants qui pénètrent dans l'eau tendre et boueuse, instantanément s'enfoncent, comme quand la sentant venir contre moi dans l'obscur, obscurément se nouer, j'apercevais dans ses yeux les salves de la noyade, et je la tenais alors toute lâche, attendrie et possédée, avant que peu à peu son regard ne se ressaisisse et qu'à maintes allusions elle me fasse ensuite comprendre que ce n'était rien qu'un passage, un abandon furtif, un moment d'égarement.

fini

Dure, je me souvenais, ne prononçant jamais les mots d'amour, soucieuse d'éviter les cadeaux, les lettres, les photos, les appels téléphoniques, rien que ce mot d'*heureuse* la dernière fois sur l'écran de mon mobile, juste après l'heure d'arrivée à Elmas, *heureuse de te voir bientôt*, ce seul signe, cette unique preuve sur mon petit écran luminescent, en ces jours de mi-septembre où nous nous retrouvions dans la vieille ville écrasée de soleil, sur les hauteurs du Castello, ou le long de la Spiaggia Poetto peu à peu désertée par les baigneurs, en ces heures encore chaudes où nous accordions nos pas dans la lumière déclinante tandis que la vague à nos pieds aspirait l'assise de sable où nous marchions, la vie nous appartenait, un fil d'or se détachait du ciel, les choses étaient inscrites ainsi dès le commencement, mais plus tard je lirais dans ses yeux la semonce : sache que je n'ai pas l'intention de changer quoi que ce soit à ma vie, je vis avec un homme qui me comble, parole donnée à jamais, parole destinée à hanter toutes nos paroles, nous confiner sur cette ligne de crête où l'instant seul devait décider pour nous, l'indécise joie de l'instant, un homme et une femme qui parlent dans l'instant du monde ou de l'enfance, et quand ils parlent ainsi après l'amour dans la chambre trop chaude ils savent que cette parole n'est que purs mots donnés, perdus, engloutis dans une pièce sans écho, un temps imparti et fragile, avant que tout ne les sépare, alors comment donner foi à ces quelques jours réels, comment les détacher du rêve, quand il ne restait plus d'elle que les dernières images, le signe qu'elle m'avait laissé dans la foule des vacanciers d'Elmas, le bleu et l'orange de son étole de soie, la même silhouette à son départ qu'à son arrivée quelques jours plus tôt lorsque nous nous étions retrouvés au bas du Castello sur le grand promontoire surplombant la baie et qu'elle s'était glissée malicieusement parmi les élèves d'un cours de tango qui faisaient la ronde en file indienne, elle quittant soudain le groupe pour venir vers moi, sans changer de rythme, son pied gauche fauchant, un pas, un pas, un pas, avec la joie au fond du regard, je te reconnais toi, je viens vers toi, je suis heureuse de te revoir, je suis L., ton amie pour quelques jours, ta compagne de fin d'été, ta jumelle millénaire.

pauvre parole
quand tout se tait

Et maintenant qu'il était là face à moi de l'autre côté de la toute petite table du restaurant Le Tre Parche, maintenant qu'il avait fini par ôter ses lunettes fumées pour les déposer sur la table, je pouvais enfin le regarder en pleine clarté, non plus ce masque barré, malade, mais un regard bleu très clair, très nu, un rien fiévreux sous l'ourlet rougi des paupières, l'arête du nez saillante, le grand front fuyant, dans tous ses traits une délicatesse d'esthète qu'elle avait élue comme objet d'amour. Et pourtant je ne rêve pas d'elle, insistait-il curieusement, expliquant qu'elle occupait à tout moment ses pensées mais que le sommeil venu elle s'absentait de lui ou plutôt qu'il s'absentait d'elle, son sommeil l'égarait, faisait rempart au souvenir, puis il se réveillait au milieu de la nuit à devoir réapprendre comme la première fois qu'elle n'était plus là. J'aurais voulu qu'il m'explique en détail cette première fois mais je n'arrivais pas à articuler ma question, les clients autour de nous parlaient de plus en plus fort, une serveuse au tailleur moulant était venue prendre la commande, elle avait les cheveux noirs noués en chignon et de grands yeux étonnés, un chanteur s'époumonait derrière le brouhaha des voix tandis que se précisait soudain le souvenir d'un jour où L. et moi étions descendus dans ce même restaurant, tous deux assis à une table du fond, là où se trouvait précisément un couple d'amoureux très jeunes, et je me souvenais que ce jour-là L. avait enfilé sa robe de coton éponge à larges rayures turquoise, bordant ses genoux nus, alors que Minghelli ne cessait plus de me parler, ne faisant aucun effort pour se faire comprendre, et que je me demandais d'ailleurs à quel titre j'avais à recueillir ce qu'il me disait, moi qui n'étais ni son ami, ni son confident, sentant que se relâchait peu à peu l'effort de l'écouter, que mon attention filait à tout moment vers les jambes alertes de la serveuse, les amoureux du fond, les maquettes de bateaux qui garnissaient les murs de la salle, le souvenir de la robe rayée turquoise bordant les genoux nus de L., ses jambes au léger duvet blond, désir incongru, désir impromptu de son corps, qu'était-il devenu son corps ? Les yeux bleus de mon interlocuteur s'enfonçaient en moi, ses lèvres continuaient à articuler quelque chose que je ne faisais plus l'effort de comprendre, préférant dresser un écran invisible, cesser d'entendre l'exposé de son infini malheur, pensant qu'au fond je n'aurais pas dû revenir dans cette ville, que le silence à jamais eût été préférable, à l'instant où m'arrivaient tout à coup ces mots, très audibles, suspendus à rien, étonnants par leur étrangeté : *rien qui m'émeuve plus que les scènes de retrouvailles*, puis un peu plus tard alors que son regard s'était agrandi : *je crois qu'elle ne voulait pas vieillir*, cette phrase que je m'étais déjà formulée, reliée à un souvenir d'elle, infime point sur la mer scintillante à l'horizon de Poetto, un soir où je commençais à prendre peur, faisais de grands gestes sur la plage, me disant qu'elle était folle de s'aventurer si loin, et plus tard elle riait dégoulinante, elle riait de mon angoisse, elle riait d'avoir repoussé les limites de la mer, elle disait je peux vivre encore puisque je l'ai fait, puisque j'ai pu le faire tandis que je la serrais contre moi radieuse et grelottante. *Ne voulait pas vieillir,* avait-il répété à l'instant où la serveuse était venue déposer sur la table une coupelle d'olives vertes et déboucher en un tournemain la bouteille de Galtarossa, verser le liquide dans nos deux verres, et quand elle nous avait laissés seuls il avait eu le geste de caresser le verre ballon, l'entourer de ses doigts pour le réchauffer, me formulant par deux fois cette demande : pouvez-vous me parler d'elle ? Moi m'entendant bredouiller que je l'avais connue fort peu, avec le sentiment instantané de la trahir, puis évoquant sans plus me brider cette phrase d'elle qui me poursuivait depuis la veille : *si je ne suis plus visitée, je m'arrêterai,* ces mots qu'elle avait alors appliqués à sa peinture, à son art de la couleur plutôt, cette pratique solitaire et obstinée qui m'avait fait la rencontrer lors d'un vernissage, cette jouissance rageuse qui lui faisait saturer de fins papiers de soie de couleurs rouges, orange, turquoise pour les déchirer ensuite et les coller sur une toile en cherchant les lignes de fêlure, de fracture, d'incandescence, dans une hésitation et une décision qu'elle apparentait à celle du sabreur, du tireur à l'arc, qui sait le trait et l'instant pur, disait-elle, qui est visité au moment où la couleur se pose, au moment où le papier se déchire, au moment où s'agencent ces grandes peaux géographiques pour composer ses batailles, ses grandes batailles, s'exclamait-elle en riant, ses grandes batailles, et je l'entendais encore cette nuit-là alors que nous rentrions vers l'hôtel, j'entendais sa voix soudain grave, définitive, *si je ne suis plus visitée je m'arrêterai*, tandis qu'à l'énoncé de la phrase j'avais vu les yeux de son mari instantanément se noyer de larmes, il pleurait et il souriait à la fois, hochant lentement la tête, comme si c'était vraiment cela qu'il attendait que je lui dise, c'était pour cela qu'il m'avait fait venir à Cagliari, afin qu'il puisse se nourrir de cette phrase-là, et pleurer devant moi avec ce demi-sourire, me donner son visage en pleurs, non pas ma défaite mais la sienne, et dans le vacarme de cette salle où criaillaient des enfants, je me souviens que je ne pouvais plus soutenir son regard, je regardais s'agiter dans le miroir du bar le chignon noir de la serveuse, il reposait sur moi ses yeux humides en me demandant très explicitement : pensez-vous qu'il existe un au-delà ? J'avais voulu répondre que je n'en avais pas la moindre idée, puis je m'étais ravisé, énonçant avec une certitude qui m'étonnait moi-même : je pense, oui, je le pense, et il avait alors ébauché un geste comme de poser sa main sur la mienne, la déposant finalement sur sa serviette bordeaux, c'est la beauté des hommes d'y croire, avait-il murmuré, ensuite ces mots : parfois j'attends un signe d'elle, c'est plus fort que moi, j'attends cela. Le soleil illuminait derrière lui une arête de fenêtre. Qu'en est-il pour le soi-disant Filippo Lippi, lui avais-je demandé, voulez-vous toujours que j'y aille ? Son visage s'était aussitôt éclairé, je suis allé la voir ce matin et je lui ai parlé de vous, vous verrez, avait-il repris dans un souffle, vous verrez.

cette lumière

Femme lumière tout au fond de la nuit, qui dansait sur la piste rouge du Linea Notturna, ne ressemblait pas à L., était beaucoup plus grande et sans doute plus folle, avec son long corps désarticulé, son délicat composé de gestes pour se protéger du monde, lisser sans fin autour d'elle un écran vitré circulaire, emmurer son corps, tour parfaite, imprenable, attirant parfois quelques hommes qui venaient rôder autour d'elle, se déhancher mollement puis se fatiguer de n'avoir pas le moindre regard, rien d'autre que le spectacle offert de son long corps dérobé dans la clarté rouge, long sinueux pantalon noir et chemisier à col raide, longue étole de prêtresse, cheveux courts et regard clos, intérieur, fin sourire d'extase, vacillement infini de sa danse, danse du vacillement, au point que je pensais qu'elle allait tomber, ne se redresserait plus au moment ultime, parce qu'elle se hasardait toujours au point de déséquilibre et parce que je ne voyais que cela cette nuit-là au Linea Notturna : la chute des corps, les corps en instance de chute, le corps de L. dévissant en deux secondes de la face nord de l'Eiger, avait dit Minghelli, *amorti par la neige mais cela n'avait pas suffi,* cependant que la femme continuait de tomber, poursuivait sans fin ce simulacre de chute, glissait le long du fourreau textile, tâtait les parois de l'air, du fût, de l'excavation, son front luisant, son visage éclairé toujours par le fin sourire, comme si elle demeurait dans l'œil du désir, dans le second souffle, nageuse obstinée, ce puits d'air où elle se laissait fouetter, déhancher, désarticuler, flambant vive, se consumant au gré du rythme sec, terreux, mécanique, et moi qui ne cessais de la regarder, fasciné par son regard hautain, fermé, insondable, et je pensais la neige, la neige autour de L., une coque, un caveau de neige, quel signe, mon amour, quel signe.

sur tes lèvres noires

Et dans cette haute maison de la Via Lamarmora, alors que la petite servante en tablier blanc me faisait patienter dans un vieux hall en pierre, j'avais pensé que c'était pure folie de me présenter ici sur foi d'une introduction fantasque, le seul nom de Stefano

Minghelli, mais la jeune femme était revenue très vite, annonçant que sa maîtresse pouvait me recevoir et je l'avais suivie vers un large escalier de chêne sombre, aux murs garnis de tableaux, portraits d'ancêtres, paysages de collines, sur le palier une baie aux barreaux de fers forgés cernant un carré de mer bleue. La dame m'attendait au centre d'un immense salon, illuminé par le soleil du soir, c'était une vieille aristocrate en chaise longue, aux cheveux blanc-violacé, elle m'avait invité à m'asseoir à côté d'elle, nouant sa vieille main baguée à la mienne et commençant ainsi, avec dans la voix des rondeurs très italiennes : pardonnez-moi, monsieur, j'ai besoin de vous sentir, la vue m'a presque quittée, je ne vois plus les détails, seulement les lumières et les formes, monsieur Minghelli m'avait avertie de votre venue, il m'a dit que vous vouliez aussi la voir, c'est peut-être un prétexte, de toute façon il doit savoir que je ne refuse jamais la visite de jeunes hommes, Cecilia nous a préparé du thé que vous ne refuserez pas, j'espère. En me parlant ses yeux fixaient les grandes baies lumineuses qui nous surplombaient, comme s'ils voulaient s'approcher du ciel, elle avait dû être très jolie autrefois, conservait des vivacités de petite fille. Me désignant sur la table basse un dessin enveloppé de papier de soie, elle m'avait dit regardez-le puisque vous êtes venu pour cela, monsieur Minghelli y tient tant que je finirais par croire que c'est un authentique

Filippo Lippi, malgré ce qu'il me prétend. À vrai dire c'est la ressemblance avec Lucrezia Buti qui m'a fait penser à lui, vous savez peut-être que Fra Filippo avait quitté les ordres pour cette jeune religieuse dont on retrouve le visage un peu partout à la faveur des Annonciations et des Vierges qu'il n'arrêtait pas de peindre, alors une esquisse pour une dormition, pourquoi pas, même si nous n'avons jamais vu la peinture, de toute façon si ce n'est pas de lui c'est d'un autre et je ne la vendrai pas, je pourrais certes la donner s'il s'avérait que quelqu'un la mérite, mais comment savoir si monsieur Minghelli la mérite, c'est quoi qu'il dise un marchand d'art, deux mots qui ne vont pas très bien ensemble, même si le drame qu'il a subi récemment lui donne une présence particulière, vous avez dû vous en rendre compte, on dirait qu'il cherche une sorte de chemin, une issue à ce qu'il ne peut pas comprendre, monsieur Minghelli, quoi qu'il dise, est un homme très religieux. La vieille dame souriait aux fenêtres, j'avais en main le dessin, dégagé de son papier de soie, c'était impressionnant de sentir le grain de cette très ancienne esquisse, exécutée au crayon fin, en quelques traits rapides. Sur le fond crème le visage de la Vierge était yeux clos, d'une absolue sérénité. Vous croyez voir saint Jean à son chevet, poursuivait la dame, moi j'y vois l'ange annonciateur, il est revenu pour effacer son corps, la dormition est une mort parfaite, nous rêvons tous d'une mort parfaite, qu'est-ce qu'une mort parfaite ?, franchir la ligne sans douleur, laisser tomber son corps comme une enveloppe inutile, passer sans lourdeur de l'autre côté, voilà sans doute ce qui attire et fascine monsieur Minghelli, il cherche la paix sur ce visage, accordons-lui la paix qu'il cherche, qu'en pensez-vous ?

Monsieur,
Ma lettre vous surprendra sans doute

Maintenant revenez plus près de moi, disait-elle, acceptez que je reprenne votre main, et racontez-moi ce que vous voyez, regardons ensemble le soir qui tombe.

LES MURMURANTES

« Bientôt je saurai qui je suis. »

J. L. Borges, « Éloge de l'ombre »

Lundi

Ce matin Rosalia a fermé les volets. Je l'ai entendue aller d'une pièce à l'autre et fixer de l'intérieur les barres métalliques horizontales qu'on appelle ici les barres d'ouragan. Pourtant, la radio n'avait pas diffusé d'avis de tempête, le ciel était limpide et la mer presque calme, à peine agacée par ce vent du sud-ouest qui est le vent des jours tranquilles ici à La Gaviñera. Dans le grand corps de la maison j'écoutais le pas traînant de Rosalia qui ouvrait les fenêtres, encastrait les barreaux et je voyais venir le moment où elle allait frapper à la porte de ma chambre pour me demander la permission d'entrer.

Dans l'entrebâillement elle avait les yeux rougis par les larmes mais nous ne nous sommes rien dit, Rosalia et moi nous nous connaissons assez pour ne pas chercher à lire en l'autre ce que nous savons trop. En l'aidant à placer les barres métalliques dans les petites encoches de métal je me suis souvenu que nous avions pratiqué la même opération trois ou quatre ans auparavant un matin où la couleur de l'horizon de mer venait de virer à l'ocre et où dans le calme effrayant, le brusque silence des oiseaux, on entendait monter du fond de la pénombre intérieure le premier mouvement du concerto pour violon de Sibelius.

Parce qu'il aimait par-dessus tout ces lumières de fin du monde, parce que c'était sa façon à lui de rire contre les déchaînements du ciel, ou simplement parce que c'était sa fille Xénia qui jouait.

Avant de me laisser, Rosalia est restée un temps la main sur la poignée et elle a murmuré quelque chose à propos de son mari Rodrigo qui n'avait pas eu la force de conduire les enfants à l'école le matin. Après son départ, je me suis dit que cette cérémonie des volets que l'on ferme devait remonter aux anciennes traditions de l'île puis j'ai pensé aux photographes, cette obsession de Maria Tarai qui l'avait longuement tenue au téléphone pendant la matinée. Passé un bref moment d'accommodation la pénombre bleu gris de ma chambre m'a paru d'ailleurs plutôt douce, presque nécessaire, le soleil traversait les volets ajourés, je pouvais continuer à lire mais je ne voyais plus la mer.

Lire c'est sans doute trop dire, je parcourais la même page sans que mon attention ne puisse s'y accrocher, et il y avait ce vers secret de Poe qui me revenait toujours en mémoire : « *Je n'ai pu aimer que là où la Mort / Mêlait son souffle à celui de la beauté.* » À vrai dire ce n'était pas tant le sens des mots qui me hantait que le jeu en anglais des assonances, *(« I could not love except where Death / Was mingling his with Beauty's breath. »)* En bas, l'employée du service funèbre avait terminé depuis un temps, je l'ai regardée partir par la petite porte de plage, le téléphone se taisait enfin, je n'entendais plus que Rosalia qui s'affairait dans la cuisine, un volet piaulant sur ses gonds, le criaillement des mouettes, et ce ressassant vers de Poe.

La réalité est toujours imprévisible, j'avais tant redouté ce jour, je l'avais imaginé maintes fois, maintenant qu'il m'était donné de le vivre je n'éprouvais rien d'autre qu'une espèce de sidération. Mon esprit était vide, je ne ressentais pas de tristesse, pas même cette pointe d'effroi, de fascination horrifiée que suscite d'ordinaire l'événement. C'est peut-être pour mettre à l'épreuve cette insensibilité que j'ai osé pousser la porte de sa chambre. Cela faisait plus de deux ans que je n'y étais pas entré. Dans la pénombre de ses volets fermés j'ai retrouvé les choses exactement comme la dernière fois : son bureau parfaitement dégagé, sa vieille Olivetti des années soixante avec toujours la même feuille vierge glissée sous le rouleau, jaunie par la lumière (mécanique à jamais bloquée, exposée là dans son inutilité narquoise depuis le temps où il avait décidé de dicter). Au bas de sa fenêtre tout un amas de bois flottés qu'il ramenait de la plage, et ce grand corps séché dont j'avais oublié l'existence : carcasse de mammifère marin dont on devinait les saillies dentelées des vertèbres sous la peau parcheminée. Le lit était sans pli, impeccable, comme s'il n'y avait pas dormi cette nuit mais Rosalia avait dû passer dans la matinée pour remettre tout en ordre et remiser ses vêtements dans sa garde-robe. Pas un livre sur la table de nuit. Accroché au grand mur d'ombre entre sa malle et sa bibliothèque resplendissait le grand tableau de Xénia peinte par Galeno Torre dans la candeur charnelle de ses quinze ou seize ans. Je ne me souvenais plus qu'elle avait en main un panier d'oranges, la couleur des fruits ronds ensoleillait la pénombre, un moment je me suis vu plonger mes yeux dans les yeux sans vie, un peu naïfs, de celle qu'il aimait plus que tout au monde puis j'ai entendu en bas Rosalia qui m'appelait pour manger.

Il y avait une lenteur dans les gestes de la vieille femme, une lente hébétude lorsqu'elle me demandait d'une voix morte si je désirais me resservir. Nous n'avions faim ni l'un ni l'autre mais nous éprouvions le besoin de nous retrouver à table comme chaque midi. De l'autre côté du couloir la porte du living était restée entrouverte et l'on voyait vaciller dans l'entrebâillement la lueur d'un cierge. À la fin du repas Rosalia a cherché mon regard, elle avait les yeux tout à coup très agrandis, au bord de l'ahurissement. Croyez-vous qu'il est encore là ? m'a-t-elle demandé tout bas. Je lui ai caressé le dos de la main, elle a baissé la tête puis s'est levée pour desservir. Par la suite nous avons parlé de Xénia qui avait annulé tous ses concerts et venait d'appeler depuis l'aéroport de Vancouver. La présence de Xénia quelque part dans le monde, la perspective de son arrivée à La Gaviñera le lendemain ou le surlendemain nous faisait revenir dans le monde réel, c'était une image solide, quelque chose de vivant.

Avant de remonter je n'ai pas pu m'empêcher d'ouvrir grande la porte du living où tous les meubles avaient été repoussés pour laisser place à son corps, étendu entre deux cierges au centre de la pièce. Il était vêtu de son habituel ensemble de velours marron. Plus je le regardais et plus j'avais en tête la question de Rosalia. Non, il n'était plus là, ou plutôt il n'y avait plus de foyer à sa présence, il avait échangé celle-ci contre la stupéfiante prestance des morts. L'embaumeuse avait noué ses doigts, peigné vers l'arrière ses cheveux blancs et fardé un peu ridiculement le haut de ses joues, ce qui à la lumière des bougies semblait le rajeunir de dix ou quinze ans, l'époque ou j'étais entré à son service. Ses paupières closes ensevelissaient à jamais ce qui avait été la vie fervente, farouche, mystérieuse, constamment mobile de son regard. Et je ne le voyais pas sourire comme on dit que les morts sourient, je voyais son masque de lutteur, cette immense statue dont j'avais côtoyé l'existence pendant toutes ces années, mais gisant désormais, souveraine, inexorable. Près de l'oreiller, à hauteur de sa nuque, quelqu'un avait déposé un bouquet de petites fleurs violettes déjà presque fanées, comme on en trouve dans les dunes en cette saison, c'était là une faveur enfantine, maladroite et touchante, la petite-fille de Rosalia sans aucun doute, Josefina.

Revenu dans ma chambre je me suis endormi, je ne sais comment le sommeil m'est venu ni par quel miracle j'ai pu rêver alors que mes brèves siestes d'après-midi ne me donnent d'ordinaire aucun rêve. Je voyais son corps étendu sur la plage, là où Rodrigo l'avait retrouvé le matin, au-dessus de lui tournoyaient de grands oiseaux à large envergure. Lorsqu'ils passaient devant le soleil je voyais leurs os en transparence dans une matière vitrée, bleu-vert, et parfois l'un d'eux éclatait en milliers de petits cristaux. J'ai été réveillé en sursaut par la sonnerie de la porte d'entrée puis par la voix enrouée, cinglante de Maria Tarai. Cette voix fouaillait péniblement dans ma mémoire tandis que je me voyais chercher mon carnet de notes pour écrire d'une main encore tremblante : *oiseaux de verre, son corps*, réalisant à cet instant que le rêve me parlait de l'accident et que l'accident avait eu lieu en mai quatre ans auparavant peut-être jour pour jour. Et je nous revoyais titubant au milieu de la lande, sortis on ne sait comment de la Mercedes fumante, lui qui s'appuyait sur moi à l'aveugle avec les éclats du pare-brise incrustés sur son visage en sang.

L'arrivée intempestive de Maria Tarai a été suivie d'un soudain silence, correspondant sans doute au moment où elle venait d'entrer dans le living où reposait son corps. Par la suite j'ai entendu Rosalia monter marche à marche les valises de sa maîtresse et tourner la clef de la chambre qui fait face à la mienne. En bas quelqu'un s'est présenté à la porte et Maria Tarai a hurlé depuis l'étage : respectez notre deuil s'il vous plaît ! La sonnerie du téléphone a retenti presque aussitôt et avec elle la voix rêche, cassante de cette femme, cette manière qui lui est propre de trancher, s'emporter, relancer sèchement, exiger des comptes, donner des instructions… L'ouragan était entré dans la maison.

Un ouragan de blondeur, la dernière fois où je l'avais vue ses cheveux étaient teints en noir. Je suis sorti pour la saluer, elle était debout face au miroir du palier, occupée à se remaquiller. Me voyant elle n'a pas pu retenir une espèce de grimace puis elle m'a tendu une main glaciale. Vous avez vu comme ils l'ont arrangé ? a-t-elle bougonné l'œil mauvais. Je ne savais pas de qui elle parlait (les embaumeurs ? les journalistes ?). Très vite elle s'est replacée face au miroir et l'air de rien, tout en fouillant dans son sac à main : j'ai finalement dit oui à Chageras pour le journal du soir, Chageras a été toujours très correct, les autres n'auront rien, ce sont des vautours. L'image des vautours m'est restée un temps en mémoire parce qu'elle semblait tout à coup prolonger mon rêve. J'ai un peu traîné dans la cuisine où son manteau bleu roi était avachi sur un dossier de chaise, dégageant un parfum musqué, sauvage. En remontant l'escalier je me suis dit que Maria Tarai venait de reprendre possession de la maison, autrefois elle devait composer avec sa présence, elle n'y restait jamais que quelques jours, désormais il n'était plus là pour repousser ses envahissements.

Sur le parking du haut de la falaise il y avait à présent trois voitures et une camionnette rayée de bandes obliques bleues. Un photographe y avait planté un pied de caméra d'où il pouvait saisir au téléobjectif les entrées et les sorties de la maison. Au-dessus du parking la mer étincelait dans l'après-midi chaude. Rodrigo qui était de faction au portail battait la semelle dans l'allée, allumant de temps à autre une cigarette. Vers quatre heures j'ai entendu entrer l'équipe de Chageras, ils parlementaient à voix basse et visitaient toutes les pièces à la recherche du décor de l'interview. Finalement ils ont choisi la terrasse sous la treille. En ouvrant ma fenêtre je pouvais deviner sans la comprendre la voix râpeuse de Maria Tarai, elle parlait lentement, en ménageant des silences, tout ce qu'il fallait de pudeur et d'émotion contenue, ses talents de comédienne l'accordaient à la circonstance et je me disais qu'elle devait être parfaite dans son tout nouveau rôle de veuve.

Du repas du soir il me reste ces souvenirs : à cause des volets fermés l'obscurité était tombée plus tôt dans la maison et Rosalia avait reçu l'ordre fantasque de n'utiliser pour nous éclairer que la flamme des chandeliers qui faisait des ombres immenses dans tout le rez-de-chaussée. Maria Tarai avait pris la place de Rosalia à la table de la cuisine et quelque chose dans ce tête-à-tête me semblait déplacé, inhabituel car je ne pense pas que Maria Tarai me tînt en si haute estime pour décider de partager son repas avec moi. Je n'avais donc d'autre choix que de l'écouter m'évoquer en long et en large le contact téléphonique qu'elle avait eu avec le chef de cabinet du ministre de la Culture (un homme authentiquement cultivé, disait-elle, comme en témoignait le communiqué officiel, juste les mots qu'il fallait…) Puis vers la fin du repas elle m'avait parlé de Köhler (qu'elle appelait bizarrement l'agent Köhler comme dans un roman de Thomas Bernhard). Nous aurons la visite demain de l'agent Köhler, disait-elle, j'entends que vous lui donniez accès à tous les derniers textes, même les notes, la correspondance ou les ébauches de roman, on pourra toujours les insérer dans la matière du *Fil du temps.* Si en revanche Gonçalves essaie de vous appeler, éludez poliment, vous savez mieux que moi ce que mon mari pensait de Gonçalves et puis Köhler est Köhler, excellent dans l'international, il veut disposer de l'ensemble des textes pour négocier, il pense comme moi que certains contrats doivent se traiter sans trop tarder, je crois qu'on peut lui faire confiance… Son regard était flou, sa voix empâtée d'avoir déjà trop bu, Rosalia qui avait enfilé son tablier blanc comme aux temps anciens, s'était reculée contre le plan de travail et l'observait avec terreur.

Par la suite nous avons parlé de la cérémonie, je n'y ai pas vraiment pensé, avançait-elle, de toute façon je n'ai pas beaucoup d'inspiration pour ces choses, si Xénia trouve un avion cette nuit elle nous tirera d'affaire, entretemps prévoyez toujours quelque chose, il a beaucoup écrit sur la mort et vous connaissez son œuvre mieux que personne, la vue est splendide depuis le parvis de la chapelle mais il faudra se méfier des photographes et surtout demander au prêtre qu'il se limite à une bénédiction. Un curieux sourire l'effleurait soudain, elle se resservait de vin et détournait les yeux la lèvre humide, pensant peut-être à cette revanche que la mort lui offrait, et je me souvenais de ce jour de novembre où sans un mot il l'avait chassée de la maison, je revoyais dans l'allée sa grande foulée exaspérée, alors qu'il déposait l'un après l'autre près du portail blanc les sacs et les valises de sa seconde épouse.

Au-dehors la nuit n'était pas tout à fait tombée, j'ai pris le petit sentier de maquis qui serpente vers le parking. Le vent du soir avait fraîchi, chargé d'odeurs résineuses aux abords du sous-bois. Sur le promontoire il n'y avait plus que la camionnette à bandes bleues, tous phares éteints. Au loin on voyait affleurer la ligne des hôtels sur le fil gercé de l'horizon. Je n'éprouvais toujours aucune tristesse, simplement une espèce de mal-être un peu nauséeux et la sensation d'être envahi par la voix, les intonations rauques, pénétrantes de Maria Tarai. Sur le chemin du retour j'ai croisé Rosalia qui rentrait chez elle par la plage. Me voyant venir à sa rencontre la vieille femme s'est brusquement serrée contre moi, répétant dans les sanglots : madame ne veut pas que je reste avec lui cette nuit. Jamais je ne l'avais sentie si perdue, elle qui de tous temps était un roc. Pour finir j'ai fait demi-tour avec elle et je l'ai raccompagnée jusqu'à sa maison.

Les deux enfants étaient en pyjama mais ne dormaient pas, le petit Nereo se blottissait sur les genoux de Rodrigo et Josefina trônait très droite au fond du fauteuil de sa grand-mère en me fixant de ses grands yeux. C'est elle qui avait découvert le corps, me racontait Rodrigo reprenant mot pour mot le même éternel récit. Cela s'était passé tôt le matin, la petite avait aperçu une forme sur la plage près du bateau ensablé, elle avait reconnu son manteau et elle avait pris peur. Quand Rodrigo était arrivé sur place la mer montante immergeait son corps et cela devait porter la mort à cinq ou six heures du matin, juste avant la lumière. Voir ainsi le maître tête contre le sable, disait Rodrigo, comme s'il était tombé d'un coup, voir la vague qui lui caressait la nuque, il y avait là une image qu'il ne pourrait jamais oublier, comme il ne pourrait jamais oublier combien il était lourd, plus lourd que le tronc d'un arbre, disait-il, quand il avait dû le traîner tout dégoulinant vers le sec. Pendant son explication le petit Nereo saisissait le menton de son grand-père en cherchant à le tourner vers lui. Il est où maintenant le maître ? Il est où ? insistait l'enfant en prononçant ce mot de maître, *el Señor*, qui dans sa bouche ressemblait à une appellation affectueuse. Sur la table de la petite cuisine les assiettes sales n'avaient pas été débarrassées et la télévision crachait ses images dans l'encoignure, c'était toujours le même reportage que Rodrigo devait regarder en boucle avant que je n'arrive, non pas la première chaîne et l'interview de Maria Tarai par Chageras, mais une rétrospective de deux ou trois minutes, avec des extraits d'entretiens, quelques couvertures de livres, *Pleurez les batailles*, *Les Murmurantes*, *Le Fil du temps III et IV*, *La Splendeur d'Esmeralda Lopez*, tous ces ouvrages déposés comme insouciamment sur une table et que balayait la caméra avec lenteur. Il y avait aussi un long plan tournant de La Gaviñera qui surgissait de la roche comme une fière tour carrée, ensuite plusieurs photos de lui dont un cliché noir et blanc que je ne connaissais pas, saisi à l'occasion de son premier prix littéraire, quand il avait encore des cheveux en abondance et souriait aux anges. Me voyant attiré par le reportage Rodrigo s'était tu, Rosalia aussi s'était tournée vers l'écran tandis que défilait un texte manuscrit avec sa propre écriture et que l'on entendait sa voix faible, quasi inaudible, mais dont se devinait le halètement, la syncope, le grain si reconnaissable dans le silence sidéré. À nouveau j'avais l'impression que ce n'était pas lui, ou plutôt que ce n'était qu'un énième reportage sur lui, comme ils en passaient de temps à autre sur la chaîne culturelle, des images qui n'avaient rien à voir avec la vérité de sa disparition. À la vue du reportage Rosalia s'était remise à sangloter répétant une nouvelle fois : je ne voulais pas le laisser seul avec madame, je ne voulais pas… Pour la rassurer (mais de quoi ?) je lui ai dit que j'allais bientôt rentrer, sentant que quelque chose de très fort me retenait dans cette petite maison de pêcheur aux plafonds très bas, aux poutres apparentes, à l'odeur d'âtre et de poisson séché, quelque chose comme ce qui reste de la tendresse humaine parmi les vieux et les petits enfants.

Plus tard, alors que je peinais à ouvrir le cadenas du portail j'ai entendu des pas derrière moi sur le sable tassé. L'homme est sorti de l'ombre et s'est longuement excusé de m'avoir surpris. Il connaissait mon nom, il savait que j'étais son secrétaire, dans la nuit presque noire je distinguais mal ses traits sans toutefois ressentir la moindre crainte à son égard. À cause de sa rondeur sans doute, son espèce de paisible bonhomie et cette manière courtoise, un rien précieuse, avec laquelle il avait noué le contact. D'emblée il m'a proposé une cigarette que je n'ai pas refusée, je crois que ma curiosité était piquée, je désirais savoir comment il connaissait mon nom et surtout je n'avais aucune envie de rentrer dans la maison. Pendant un temps nous avons parlé de lui près du portail entrouvert, il était familier de son œuvre, affirmait avoir lu plusieurs fois les quatre volumes du *Fil du temps* et aimer la matière brute, composite, de ce qui n'était pas un journal ordinaire, un peu comme chez Kafka, disait-il. Pour les romans il admirait surtout *Pleurez les batailles* qui pour lui était un authentique chef-d'œuvre. J'avais envie de l'interroger sur *Les Murmurantes* et surtout *La Splen-*

deur d'Esmeralda Lopez, quelque chose me tenaillait là mais il s'en tenait au journal ou à des généralités sur l'œuvre en faisant un développement surprenant à propos de la destinée au sens où l'entendaient les Grecs, et peut-être les philosophes indiens. Il disait que lorsqu'on mettait en parallèle les journaux et les romans des grands romanciers on avait par effets de renvois et de chevauchements une idée assez claire de ce qu'était la destinée d'un homme. Je n'étais pas sûr de comprendre mais j'avais envie de l'écouter encore, il me semblait que cet inconnu qui me parlait dans la nuit était une sorte de frère lointain, un messager des dieux anciens. Nous demeurions au seuil de La Gaviñera, masse éteinte, impénétrable, le vent tiède remuait la nuit par vagues et l'on voyait scintiller au loin tout au bord de la lande le cordon lumineux des hôtels. Pour finir l'homme m'a laissé sa carte en me disant qu'il serait heureux que je lui accorde une interview, sous la forme qui me convenait le mieux, parce que j'avais été plus que n'importe qui dans l'intimité de cet homme qu'il admirait. Dites-vous que c'est pour la radio, insistait-il, nous prendrons donc le temps qu'il faudra, non le temps qu'ils nous concèdent.

Le hall de la maison était plongé dans l'obscurité, n'étaient les lueurs des deux cierges qui dans le living entrebâillé montaient la garde de part et d'autre de son corps. Maria Tarai avait recouvert son visage d'une mantille blanche et son profil au travers des mailles en devenait plus spectral mais aussi plus supportable, même si cela ressemblait un peu à un voile d'asepsie. En haut, elle s'était cloîtrée dans la salle de bains où elle avait allumé la radio assez fort et je me disais qu'elle devait être un peu saoule car j'entendais beaucoup de bruits d'eau et d'entrechoquements de flacons. À un moment, elle a brusquement fait chuter le volume sonore et hurlé au travers de la porte que Xénia avait trouvé un vol et qu'elle arriverait le lendemain soir.

L'arrivée imminente de Xénia m'a redonné de la joie mais j'avais peur en me couchant que le rêve revienne, peur de tomber avec le rêve dans ce gouffre au-dessus duquel je marchais depuis l'annonce de sa mort. Jusque-là une sorte d'étrangeté aux choses me protégeait d'y tomber. Cette étrangeté devait être liée à l'idée que l'événement était écrit de longue date, simplement venais-je de passer dans le temps de sa survenue : on ne voit rien dans cet instant, on passe sous le porche et l'on se dit on passe, on sait que tout vient de basculer d'un coup mais on ne veut pas encore voir ou savoir ce qu'il y a de l'autre côté.

Le sentiment est revenu au milieu de la nuit alors que malgré moi j'avais dû m'endormir pour quelques heures, peut-être quelques minutes, j'écris ce mot sentiment pour évoquer un réveil de douleur, bien plus qu'une tristesse : un vide, une dévastation noire, comme si quelque chose n'était plus là qui me tenait depuis des siècles, et je passais ma main incrédule dans cette part désormais creuse, brûlée, de mon propre corps. S'il y avait alors une image, une seule image qui prenait forme c'était à nouveau l'image du jour de l'accident, quand je l'avais extrait de la Mercedes, titubant et ensanglanté, découvrant qu'il ne pesait rien, que je ne sentais pas son poids, qu'il n'était pas ce corps dégoulinant et lourd dont avait parlé Rodrigo, tant mon affolement était à son comble, tant je voulais qu'il vive, et donner ma vie à la sienne, de toute la force de mon désir.

Mardi

Parmi les innombrables bouquets de fleurs qui dès dix heures du matin ont commencé à envahir le rez-de-chaussée il y avait ce quotidien ouvert en page intérieure, où son nom se lisait en grandes lettres à côté du mot DISPARITION. J'éprouvais en regardant ce mot une puissante impression d'inadéquation ou d'erreur. Maria Tarai passait son temps au téléphone fulminant contre la caste des journalistes qui confondait, disait-elle, vie privée et vie publique – comme s'il avait jamais eu une vie publique. Une fois le combiné raccroché elle traînait en peignoir dans la cuisine, fumait cigarette sur cigarette et prolongeait avec moi sa récrimination vaseuse. J'acquiesçais sans l'écouter vraiment, je dressais un écran protecteur contre la matière irritante de sa voix, j'étais comme il était avec elle les derniers temps, excédé et absent. Rosalia n'arrivait toujours pas mais Rodrigo était là, faisant la navette entre la maison et le portail blanc devant lequel le même taxi venait déposer de nouveaux bouquets. Dans la lumière limpide du matin, avec son costume flottant du dimanche Rodrigo était un vieil homme trébuchant, constamment à la course, les bras chargés de fleurs.

À midi débarqua Herbert Köhler, tiré à quatre épingles comme toujours, la moustache taillée, la voix grave bien posée, une courtoisie que l'on disait exquise. Il s'enferma avec Maria Tarai dans le bureau du rez-de-chaussée. Au repas il eut envers moi toutes les sollicitudes avant d'entreprendre le sujet en douce, posant quelques questions sur mon travail puis s'enquérant des manuscrits en souffrance, tout ce qui était, selon son mot, publiable. Je n'avais pas envie de lui répondre, il me plaisait soudain d'être évasif, de nourrir cette incertitude qui devait l'exaspérer. J'alternais le vrai et le faux, je jouais à celui qui ne sait pas, je demandais du temps pour inventorier les textes en chantier, je disais douter qu'il y eût assez de matière pour un cinquième volume du journal… Sous le regard contrarié de l'agent, sous l'œil interloqué de Maria Tarai, il me semblait que j'existais comme je n'avais jamais existé, et je sentais naître au fond de moi une sorte de première butée à cette houle dévastatrice qui depuis la veille cherchait à m'anéantir. Repensant à la piètre estime dans laquelle il tenait l'agent littéraire lorsqu'il me mandatait d'un air las : occupez-vous de cet homme de commerce, ne lui lâchez rien facilement, ces gens-là ne vous respectent que si vous leur résistez. Dans le silence qui commençait à peser sur la tablée Rosalia reprenait les plats d'une main malhabile. Elle était terriblement pâle, les yeux creusés, quelques longs cheveux gris-blanc s'échappaient de son chignon mal fait, mais malgré son expression de fatigue et ses gestes tremblants il me semblait qu'elle ne perdait rien de notre conversation, elle était de mon côté de la ligne de front, sa présence de femme simple, droite, fidèle m'intimait de tenir aussi longtemps que je pouvais tenir. Derrière Maria Tarai la porte du living était barrée par des étagements de bouquets, lys, arums blancs ou violacés, qui dans la lumière intérieure transformaient le lieu en chapelle funéraire. Je souhaiterais voir les derniers manuscrits, trancha soudain Köhler d'un ton d'autorité. Je lui répondis en douceur : mais vous savez aussi bien que moi qu'il dictait les derniers temps, et si parfois il me laissait quelques pages, ne vous ai-je pas dit qu'il me demandait de les brûler ? Et vous les brûliez ? sursauta Maria Tarai. Je détournai les yeux sans répondre. Köhler ne put retenir une moue des lèvres, il sortit de sa poche son couteau et son étui à cigares en marmonnant comme on pense à voix haute : c'est la première fois, monsieur, que j'entends pareille chose, la toute première fois.

Malgré le très éphémère sentiment de victoire que m'avait laissé cet échange, je sentais qu'une menace s'était précisée, et tout au long de l'après-midi j'éprouvais une dissociation de plus en plus vive en observant ce qui se passait autour de la maison : le ballet des voitures louées sur le parking du promontoire, un photographe embusqué dans les ajoncs, de nouveaux arrivages de fleurs que Rodrigo déposait à présent sous la treille... Danger extérieur, danger intérieur : à certains moments la voix de Maria Tarai éclatait au rez-de-chaussée et la fragile protection des murs semblait voler en éclats, il n'y avait plus ni dedans ni dehors, il me devenait insupportable de rester.

Marcher le long de la mer m'a fait un peu de bien. Sur la plage où avait été découvert le corps, les deux petits enfants de Rosalia jouaient au pied du bateau ensablé. Il n'était pas habituel de les voir là un jour d'école. En m'apercevant la petite Josefina est venue droit vers moi, elle a glissé sa main dans la mienne comme elle faisait avec lui. Nous avons marché le long de la vague en direction des jeux de plage, je lui ai demandé si elle était triste et elle m'a répondu d'un grand hochement de tête silencieux. Plus tard elle a pris un air grave pour me révéler que le maître l'avait prévenue, alors il ne fallait pas être triste, disait-elle du haut de ses sept ans.

Sur le parking la camionnette aux bandes bleues

était toujours là, un peu à l'écart des voitures louées, j'étais certain qu'elle appartenait à l'homme de la radio et j'avais envie de poursuivre avec lui la conversation de la nuit. L'homme était assis non loin du véhicule sur une table de roche, le vent gonflait sa chemise à fleurs et ébouriffait les quelques cheveux blancs qui lui tressaient une vague couronne autour du crâne, en me regardant venir vers lui il avait un sourire chaleureux et tranquille comme s'il m'attendait depuis toujours.

Je savais que j'allais prendre un risque important mais j'aurais fait n'importe quoi pour me sentir mieux. L'homme m'a proposé de réaliser l'interview dans une crique en contrebas parce que l'arrière-fond sonore de la mer lui plaisait. Je n'ai pas refusé. Au commencement c'est lui qui a longuement parlé dans le micro, il s'est plutôt étendu sur l'œuvre que sur l'homme, évoquant depuis les premiers romans jusqu'aux *Murmurantes* ce lent mouvement de la fiction vers l'autofiction, puis l'investissement progressif de l'autobiographie avec les quatre volumes du *Fil du temps*, comme si toute sa quête avait été de transformer sa vie en littérature, ainsi certains musiciens qui finissent par dire à la fin de leur vie que tout bruit appartient au monde de la musique. J'étais un peu troublé par cette analyse, je la sentais à la fois pertinente et trop simple, n'épousant pas les secousses, les détours, les retours d'une œuvre complexe, mais ce qui me contrariait peut-être le plus c'était de ne pas l'entendre évoquer ce pur roman qu'était *La Splendeur d'Esmeralda Lopez*, paru pourtant moins de deux ans auparavant. J'avais envie de lui signaler cet oubli qui cependant pouvait ne pas être un oubli, là était mon trouble. Quand il a fini par me tendre le micro, ses premières questions ont porté sur mon travail de secrétaire et je m'en suis acquitté un peu mécaniquement, avec quelques phrases toutes prêtes, comme je l'avais fait à d'autres occasions. De nos jours il est plutôt rare qu'un écrivain, même de cette importance, engage un secrétaire mais il l'avait voulu ainsi, prenant prétexte de sa mauvaise vue et d'un besoin d'être protégé du monde qui malmène toujours, disait-il, ceux que touche la célébrité. Et je m'entendais revenir sur l'anecdote de notre première rencontre lorsque ayant longuement sondé ma connaissance de la littérature et accessoirement de son œuvre, il avait eu cette incise rugueuse : j'apprécie que vous aimiez mes livres mais je ne vous demande pas de m'aimer. À plusieurs reprises je m'étais ouvert à d'autres de cette phrase, prononcée dans les vapeurs du vin car il buvait beaucoup à l'époque, mais j'avais toujours pris garde de ne pas révéler la suite de l'entretien quand ce même jour, au terme d'un tête-à-tête qui avait duré tout l'après-midi et toute la soirée, il avait posé la main sur mon bras en murmurant ces mots terribles : lorsque deux hommes s'associent, monsieur, la trahison est déjà entre eux, il faudra que nous l'acceptions vous et moi comme un troisième personnage qu'il nous conviendra de tenir à distance, *trahissez-moi peut-être mais ne trahissez jamais ce que j'ai écrit.* Je ne sais pourquoi ce jour-là, face à l'homme de radio dont les yeux buvaient mes paroles, au bord de ce micro tendu vers mes lèvres comme le calice de l'aveu, j'ai laissé tomber cette phrase. L'homme s'est aussitôt engouffré dans la brèche que j'ai refermée comme j'ai pu par quelques considérations générales à propos de la confiance que devait exiger tout pacte de cette nature. Mais le mot trahison avait été lâché, j'y repensais sans cesse, plus je parlais et plus il me semblait que la brèche s'élargissait, je commençais à perdre le fil de ce que je voulais dire. Plus tard j'ai été pris de bredouillements quand l'homme s'est mis à interroger le rapport entre ce qu'il appelait la dictée et le texte, entre sa voix et l'écriture, quand il a pris, comme innocemment, l'exemple des *Murmurantes* et que le sentant rôder par ses questions autour de cet unique livre je me demandais ce qu'il y avait lu, ce qu'il cherchait à me faire dire. Ma confusion était telle que j'ai fini par lui demander d'interrompre l'enregistrement, j'ai mis cela sur le compte de l'émotion, j'ai prétexté que je n'avais pas dormi de la nuit, j'ai dit que je n'étais pas dans mon état normal.

Sous la treille de La Gaviñera, son vieil ami le

peintre Galeno Torre fumait silencieusement sa pipe. Il m'a fait signe de m'asseoir à côté de lui, marmonnant de sa grosse voix : c'est tout juste s'ils ne vont pas décréter un deuil national, ça doit le faire rigoler là-haut… Je retrouvais peu à peu mes esprits, il était rassurant d'être là dans l'amitié rude du vieux peintre, sous le couvert ocellé de la treille dont perçaient les minuscules grappes coniques parmi les feuilles vert tendre. Les derniers temps Galeno venait le voir chaque mercredi, il marchait avec lui jusqu'au phare puis il le laissait poursuivre seul sa promenade et je l'attendais ici sur le banc de la treille où Rosalia nous servait du vin noir. Aujourd'hui il écrasait son tabac sans rien dire, il avait la tête basse, je l'entendais soupirer lourdement. Derrière le mur où nous étions adossés la voix de Maria Tarai perçait dans la maison mais cet espace-là n'était plus le nôtre, nous étions dans la caresse du vent de mer dont un pan scintillait entre les pins. Est-ce qu'il était déjà parti ? me demanda-t-il comme à lui-même. Ce n'était pas la première fois que Galeno me posait cette question et j'aurais été bien en mal de répondre autre chose que ce que je lui avais déjà répondu. Que les derniers temps il me semblait en effet plus détaché, dégagé par moments de ce tourment obscur qui avait pris possession de lui depuis l'écriture des *Murmurantes*. Que souvent il partait pour de longues promenades vers le cap ou la plage d'Aguancio et que je l'apercevais parfois au loin immobile face à la mer, comme pétrifié par elle, fasciné par le mouvement de la vague. Mais quand il était dans la maison, silencieux comme il pouvait être, il n'avait rien perdu de sa présence. Je constatais aussi qu'il continuait à parler aux petits-enfants de Rosalia, avec eux il retrouvait l'usage de la parole, je les voyais s'abriter à trois au bas d'une roche et les petits se blottissaient contre lui en l'écoutant. Parfois il ramassait des petits coquillages de même couleur ou des galets minuscules qui finissaient en tas dans le jardin de La Gaviñera, c'était une activité un peu bizarre et inconstante mais pas insensée. Je pensais à tout cela sur le banc de la treille alors que rien ne répondait au fond à la question de Galeno : était-il déjà parti avant qu'il ne parte, avait-il choisi de s'éloigner peu à peu des choses du monde, ou son silence était-il le contrecoup des *Murmurantes*, voire une séquelle de l'accident ? Depuis six mois, un an, deux ans, Galeno venait chaque mercredi sous la treille pour me confronter à cette même question sans réponse. Je crois d'ailleurs qu'il avait sa propre idée, lui qui le connaissait mieux que personne, et arrivait à le faire parler un peu pendant leurs promenades.

Par la suite nous avons parlé de la brève cérémonie de mise en bière qui venait d'avoir lieu en mon absence. Un prêtre était venu, quelques paroles saintes avaient été prononcées. Je sentais le vieux peintre préoccupé par l'office du lendemain, il se demandait s'il n'aurait pas mieux valu éviter ce qu'il appelait le falbala du rite chrétien. J'ai répondu qu'il était passablement agacé par les religions mais qu'il lui arrivait d'en relire les textes fondateurs, au temps où il lisait. Galeno a rallumé sa pipe et il a fini par convenir que ce n'était peut-être pas si mal qu'il y ait des mots plutôt que du silence, que ces mots soient anciens rendait la chose acceptable, c'était comme un tissu de mots que les hommes se passaient d'une lignée à l'autre depuis la nuit des temps. Je lui ai demandé si le prêtre avait la moindre idée du personnage qu'il allait enterrer et il m'a répondu que c'était un tout jeune prêtre, plutôt épouvanté, le genre d'ange fragile qui n'est jamais descendu dans son corps, a-t-il bougonné, puis il s'est définitivement tu.

Dans le living ils avaient refermé le cercueil et disposé les fleurs alentour en bouquets, étagements, cascades, dans une profusion ordonnée, sous une odeur un peu pharmaceutique d'arrière-salle de fleuriste. Je regardais le couvercle aux grosses vis dorées et je devais lutter contre l'idée qu'il était là dans l'espace suffoqué de la boîte. J'y opposais comme je le pouvais l'autre idée plus abstraite selon laquelle il n'y avait plus là que son enveloppe physique, son vieux corps déserté et usé. Au même instant j'étais toujours hanté par le mot de trahison, me jurant de téléphoner à l'homme de radio pour exiger qu'il efface l'enregistrement. Il était passé cinq heures, il n'y avait aucun bruit dans la maison sinon de temps à autre les pas de Rosalia au deuxième étage, préparant sans doute la chambre de Xénia. Maria Tarai devait être partie car sa voiture n'était plus là. Entre les lames d'un volet je voyais Rodrigo qui montait la garde au portail, il allait et venait dans la largeur de l'allée, s'arrêtait bras ballants face à la mer éblouissante puis reprenait son va-et-vient.

L'hallucination est venue peu de temps après être entré dans ma chambre, je me suis retourné et pendant une fraction de seconde je l'ai vu qui me regardait depuis le couloir. Il était vêtu de son peignoir à carreaux sur sa poitrine nue, il avait les cheveux en bataille comme pendant l'écriture des *Murmurantes* quand il faisait irruption dans ma chambre au milieu de la nuit avec toujours de nouvelles voix à écrire, disait-il, sauf qu'ici, dans l'éclair de l'hallucination, il n'avait pas cette expression fébrile et assaillie du temps des *Murmurantes*, il me regardait simplement avec toute la force calme et butée de son regard.

Xénia est arrivée au soir tombant quelques minutes après le retour de Maria Tarai, le hasard les a fait se suivre. J'ai deviné en bas le choc de leur rencontre, à peine audible d'abord, quelques mots bougons, la tonalité grave de Xénia, le timbre hérissé de sa belle-mère, ensuite le lourd silence qui retombait, des bruits de talons sur le dallage et soudain des claquements de portes en cascades puis dans la cuisine où elles s'étaient enfermées l'inévitable algarade : leurs voix tout à coup haletantes et hurlantes, mêlée de cris, reproches, semonces, objurgations, au-dessus de laquelle surnageait cette phrase de Xénia : *parce que c'était trop demander bien sûr, c'était trop demander...* Et je me souviens de la joie noire qui m'avait alors saisi, cette jubilation à l'entendre, à sentir qu'elle osait elle la colère, que montait dans toute la maison la colonne chaude de sa colère, que c'en était fini désormais de l'empire des manigances. Peu de temps après, la porte d'entrée claqua, j'entendis au-dehors le moteur d'une voiture, Maria Tarai était partie.

J'ai mis longtemps avant de descendre. J'ai vu que Rosalia venait de quitter la maison par la porte de la buanderie puis plus tard j'ai perçu la voix de Xénia, enrouée, basse, avec de longs arrêts. J'ai d'abord cru qu'elle parlait à quelqu'un au téléphone puis j'ai compris qu'elle lui parlait, elle lui racontait des choses, elle démêlait un très ancien malentendu, elle avait avec lui une interminable explication. C'était bouleversant de l'imaginer face à l'absolu silence de son père reprendre ce qu'il fallait reprendre, tirer au clair ce qui n'avait pas été dit, justifier, regretter, corriger, reprocher, demander pardon. Je me souviens que j'étais assis sur ma chaise dans l'obscurité de ma chambre et que je tremblais sans oser bouger. Il me semblait que ce qui se passait là était d'une extrême importance et, curieusement, que je n'y étais pas étranger. Quand je n'ai plus rien entendu, j'ai descendu doucement les marches. La lumière du hall ne provenait plus que des cierges et du bas de porte de la cuisine. Dans le living envahi de fleurs Xénia était debout dos au cercueil vêtue d'une longue robe-manteau noire, occupée à arranger silencieusement un bouquet, elle ne pouvait pas ne pas m'avoir entendu descendre, pourtant il a fallu que je prononce plusieurs fois son nom pour qu'enfin elle se retourne.

Vous êtes là, m'a-t-elle dit dans un souffle, c'était presque une question. Elle est demeurée un long temps à me regarder comme si elle n'arrivait pas à croire à ma présence puis elle s'est avancée vers moi et m'a embrassé.

Nous nous sommes retrouvés dans la cuisine à réchauffer du thé, je me souviens combien nous conjuguions nos maladresses, j'étais très ému de la voir, elle semblait plus perdue encore, s'excusant d'être dans cet état, incriminant le décalage horaire et bredouillant que tout était allé trop vite, qu'elle n'arrivait pas encore à y croire. Puis sans transition elle pestait contre Maria Tarai à laquelle elle avait expressément fait demander de ne pas refermer le cercueil avant qu'elle puisse lui dire adieu. Je la revois là assise à la table de la cuisine, serrant dans ses mains sa tasse de thé brûlant, le regard tourné vers la porte du hall avec une expression de fureur tremblante comme si Maria Tarai était encore là. Puis lentement ses grands yeux sont revenus vers moi, j'ai senti qu'enfin nous nous retrouvions, elle voulait savoir ce qui s'était passé vraiment, qui avait découvert le corps, quels avaient été les derniers mots, les derniers écrits qu'il avait laissés. Je n'ai pas été très explicite, je n'ai pas parlé des écrits, j'ai dit que pour moi il s'était éloigné en douceur, j'ai repris cette phrase qui figure dans l'un de ses livres : *on touche le fil de l'horizon et le corps n'est plus qu'un corps,* j'ai aussi évoqué le commentaire de Rodrigo à propos de la caresse de la vague sur sa nuque et j'ai parlé de ma conversation sur la plage avec la petite Josefina. Xénia me regardait avec de grands yeux écarquillés, la lumière de la lampe incendiait son immense chevelure blond-roux, il me semblait qu'elle était la beauté même et que je n'aimerais jamais une autre femme qu'elle. Même interdite, intouchable pour l'éternité, je n'aurais d'amour que pour Xénia Ventez.

Vers neuf heures elle m'a dit que la fatigue commençait à venir maintenant, qu'elle allait s'écrouler. Elle a pris son violon, je me suis chargé de sa valise et je l'ai accompagnée jusqu'à sa chambre du deuxième que Rosalia avait préparée. Là elle m'a touché la manche pour me remercier, elle vacillait sous les vieilles poutres de chêne de la charpente, j'ai compris qu'elle ne serait pas longue à tomber dans le sommeil. En bas le téléphone insistait depuis longtemps, j'ai décroché sans savoir. C'était Köhler qui désirait me parler, il avait retrouvé sa voix doucereuse, me disant qu'il n'avait pas tout à fait saisi mes explications du déjeuner, qu'elles lui semblaient contradictoires mais qu'il comprenait que j'étais sous le choc. Je l'ai laissé terminer, j'ai ménagé un silence puis je me suis entendu dire d'une voix plutôt calme : non, monsieur Köhler, au risque de vous décevoir, je n'ai pas de manuscrit à vous donner parce qu'il n'y en a pas, il n'y a pas de manuscrit parce qu'il n'a plus écrit une ligne depuis l'accident. J'ai dit l'accident, je n'ai pas fait mystère de *La Splendeur d'Esmeralda Lopez,* à l'autre bout du fil j'ai entendu l'agent bredouiller quelque chose et j'ai raccroché sans attendre. Je pensais au regard de Xénia, ce regard me donnait de la force, je me disais que c'était désormais simple, qu'à partir de maintenant et quoi qu'il m'en coûte je n'aurais d'autre ligne à suivre que la vérité simple et le regard de Xénia.

Je suis sorti dans la nuit sans savoir où aller, il fallait que j'épuise en marchant l'incessant tourbillonnement de mes pensées. Le vent était un peu harcelant, cet inlassable vent de mer, au loin la ligne lumineuse des hôtels brillait dans la nuit profonde. Sur le parking la camionnette aux bandes bleues n'était plus là. Je lui avais laissé ma voix, pensais-je, elle était repartie avec ma voix, mais tout cela s'avérait à présent de moindre importance, je ne retiendrais plus, je ne pourrais plus retenir ce qui avait commencé à se révéler.

Ils avaient allumé la lampe extérieure chez Rosalia, j'ai rôdé un temps autour de sa maison, le rideau de la cuisine n'était pas tiré et je pouvais apercevoir à l'intérieur le petit Nereo endormi en travers d'un fauteuil, son corps recroquevillé entre les deux accoudoirs, ses cheveux ambrés par la lumière, devant lui sa grand-mère passait comme une ombre dans le jour de la porte. Curieusement je n'avais pas envie d'entrer, je ne voulais plus porter le chagrin de Rosalia, il me suffisait d'être là à observer la vie de ces gens qu'il aimait et qui l'aimaient vraiment. Puis une pensée s'est mise à me hanter concernant l'office du lendemain, je me demandais soudain quel extrait de son œuvre je choisirais de lire, quel serait en la circonstance le texte qui parlait au plus juste de sa mort, de la mort, de notre mort à tous, et j'ai senti l'urgence de rentrer.

Il faisait silencieux dans la maison. J'ai reparcouru un peu au hasard son journal. Il y a dans le premier volume cette phrase prémonitoire, scandée comme un poème : *je mourrai le long de la vague / une balle me traversera le dos / j'entendrai le bruit sec d'une attache qui rompt / d'un cordeau qui casse / je serai déjà de l'autre côté,* mais l'image me semblait beaucoup trop explicite, je n'avais pas envie de la donner à cette occasion, comme de lire l'une de ses innombrables réflexions sur le temps qui parsèment ces pages. Vivre et mourir, écrivait-il, il y avait là un ordre des choses qu'il nous fallait patiemment faire nôtre. Comme apprendre à regarder notre propre existence dans tous les âges de celle-ci. Inutilité de la révolte donc et incessant travail de l'acceptation, épurement progressif de ce qui pouvait faire entrave à cette contemplation du temps, là était sans doute la discrète ligne philosophique qui courait en filigrane dans les quatre volumes du *Fil,* mais je me disais qu'il n'aurait pas aimé que j'y puise matière à lecture à l'occasion de cet office d'adieu. Les notations étaient d'ailleurs souvent trop brèves, trop incorporées à l'actualité de sa chronique journalière, et je savais combien il se méfiait du trop dit, démontré, expliqué, la pensée raisonnante au même titre que la morale, le romancier en lui n'aimait pas jouer les essayistes. Du reste, mon attention se perdait parmi les pages du journal, j'y entendais et je n'y entendais pas vraiment sa voix, je me sentais revenir comme malgré moi vers *Les Murmurantes,* convaincu tout à coup que s'il y avait un extrait à lire il devait être tiré de là, parce que son vrai testament était là, parce que dès que j'ouvrais ce livre à n'importe quelle page, je me voyais cloué à cette lecture, me disant qu'il n'y avait pas de plus exemplaire contemplation du temps que dans les vingt-huit chapitres des *Murmurantes*, ce roman confiné à une seule hallucinante demeure dont il visitait toutes les pièces, chambres, paliers, alcôves, encoignures, recels chacune d'une scène close, étrange, allégorique, où les figures de la mémoire le disputaient aux personnages du rêve, et où toute sa vie refluait en fragments, en boucles aléatoires, ponctuées à intervalles par des appels de femmes, des chuchotements, des cris, d'indistinctes clameurs, le nappé litanique des murmurantes qui l'attiraient toujours ailleurs, le jetaient pantelant dans la cage d'escalier, lui faisaient pousser de nouvelles portes, derrière lesquelles enfant ou jeune homme il se retrouvait dans un temps arrêté, pris dans les rets d'une conversation gelée, éternelle, dont surnageaient quelques mots, quelques inflexions obsédantes, là sa mère qui cousait dans un recoin de la pièce, sa mère aux cheveux blonds tombants, visage de douceur mais visage sans visage, sa mère sur les genoux de laquelle il se couchait enfant, jusqu'à ce qu'une voix éraillée l'appelle depuis le fond du corridor et l'invite à entrer dans la chambre voisine, la pièce aux lourdes clartés basses, aux tentures grenat, où les quatre sœurs VENTEZ étaient attablées devant la fenêtre, l'une d'elles qui se tournait vers lui, serinant doucement : *nous ne t'attendions plus, Elio, tu arrives trop tard, nous ne t'attendions plus,* et la chambre aux communiants, et la chambre aux sœurs jumelles, et la chambre aux fins crayons acérés, et la chambre de la grande femme nue, et la chambre aux miroirs d'ombre, et la chambre de l'Architecte, du Précepteur, de l'Anatomiste, et cette gitane à la jambe bandée qui le tirait par la manche : *donne-moi ta main, Elio, donne-moi ta main pour que je lise ton destin,* et sur les murs son nom écrit en grandes lettres, ELIO VENTEZ, l'escalier soudain dérobé, le couloir s'enfonçant dans l'obscur, la porte inimaginée, l'enfilade des arches, et les nuées d'abeilles autour des appliques murales, et le sol tapissé de milliards d'insectes, et les petites bêtes suceuses de sang, voix rôdeuses, enjôleuses, harceleuses, amplifiées par la nuit dans la maison labyrinthe, voix vibrant d'une injonction, d'une phrase, d'une autre obnubilante remémoration qui absorbait ma lecture à n'importe quelle page du livre, et soudain je le revoyais sur le seuil de ma porte maugréant il faut jeter ce que j'ai dicté hier, ce n'est pas cela que je voulais dire, il faut recommencer la scène, je revoyais ses yeux possédés, son geste de la main pour que je le suive en pleine nuit jusqu'au deuxième étage où enfoncé dans le fauteuil crapaud face à la chambre fermée de Xénia, la tête sur le côté, le haut du corps tordu, il marmonnait note maintenant note, sa voix changeant à tout moment de registre, passant du grommellement à l'aigu, au crié, au fêlé, au murmure, et moi qui tentais de saisir à la volée cette phrase qu'il gardait entre les dents, que je n'osais lui demander de répéter pour ne pas rompre le fil d'ouïe qui le tenait là-bas dans le suspens des choses presque entendues, moi vers lequel suant et haletant il revenait poser son regard accablé, bougonnant elles ne me lâchent plus, elles m'épuisent, tu ne peux pas savoir comme elles m'épuisent, emmêlant dans cet aveu ses voix hallucinées et les voix des murmurantes, confondant la maison immense et proliférante de son roman avec la demeure sombre et sonore où nous étions enfermés, comme si j'étais prisonnier avec lui de ces pages qu'il me forçait à constamment reprendre, réécrire, retaper, à partir de nouvelles dictées, de feuillets illisibles, notes jetées d'une écriture convulsive, réduite à quelques secousses, traces de ce qui l'avait un instant traversé et dont tout à coup il me disait je ne comprends pas ce que ça veut dire, plus je m'enfonce dans ce texte et plus je m'y perds, et soudain il se redressait, demeurait un temps l'œil fixé sur le faisceau de lumière qui éclairait la trappe du grenier puis pris par une soudaine urgence descendait quatre à quatre l'escalier, disparaissait vers la plage, je le retrouvais au matin dans le jardin de La Gaviñera, accroupi contre le mur d'enceinte à se tenir la tête, plus tard je l'entendais hurler sur la plage, invoquer, implorer, quémander viens, viens, ne pars pas, ma mère, mon amour, viens et reste près de moi, Liana, Miranda, Osanda, Nelia, Lareina, Maricelia, mes sœurs, mes murmurantes, alors j'appelais le secours de Rosalia qui s'en allait parlementer avec lui, le prendre par la main, le reconduire jusqu'à sa chambre, lui passait des compresses froides sur le front, lui récitait des prières, Rosalia qui l'avait connu presque dans le même état, m'affirmait-elle, mais pas avec les voix mauvaises, avec les bonnes voix seulement, au temps de *Pleurez les batailles,* bien avant que je n'entre à son service, Rosalia qui me serrait la manche en m'intimant il faut calmer les voix du maître, faites quelque chose, vous devez calmer ses voix, au point que je finissais par les entendre à mon tour, les imaginer dans les bruits de la maison, le remuement des combles, nous étions lui et moi dans le bruissant habitacle de sa vie, la bourdonnante clameur des cris, intimations, invitations, proférations, harangues, alarmes, apostrophes, jusqu'au jour où il était entré dans ma chambre avec un tas de feuilles griffonnées, annonçant je te laisse tout, j'arrête, fais-en quelque chose, moi je n'en peux plus… Et d'un coup, à dater de ce jour, précisément ce jour où il avait eu Xénia en ligne pendant plus de deux heures, toute la tension était retombée, hormis quelques secousses encore, quelques vagues répliques les nuits où désormais il s'abrutissait de somnifères. D'un coup le silence était revenu, rythmé par les pas, les soins et les sollicitudes de Rosalia qui le veillait désormais jusqu'à la nuit basse. Et lorsque deux mois plus tard je lui avais présenté une première proposition de découpe en chapitres il ne m'avait plus écouté que d'un air absent, levant la main pour décréter c'est bien, c'est très bien, c'est ton affaire de toute façon, moi je n'y suis plus. Ceci la veille ou l'avant-veille du jour où nous devions nous rendre sur le continent pour une lecture qu'il entendait honorer coûte que coûte, parce qu'elle avait été promise à un ami et parce qu'il voulait se forcer à revenir dans le monde, quitter une fois pour toutes le cercle de ses murmurantes. Et la lecture s'était finalement bien passée, il l'avait certes entrecoupée de longs silences, s'était perdu un moment dans une divagation mais le fil n'avait pas été rompu, si bien qu'au retour, alors que nous étions tous deux accoudés au bar du ferry et qu'il n'arrêtait plus de boire, je l'entends, je l'entendrai toujours marteler *c'est ma vie et ma mort ce texte, c'est mon sang que je t'ai donné, qu'est-ce qu'il va devenir maintenant, mon sang ?* Et plus tard sur l'île je vois encore danser devant moi l'étroite route d'asphalte qui menait à La Gaviñera, puis c'est l'éblouissement de la mer, je veux croire, c'est la mer au couchant qui m'a fait dévier de ma trajectoire et perdre le contrôle de la Mercedes alors qu'il n'y avait pourtant aucun obstacle sur ce tronçon rectiligne, simplement le crépuscule, l'irrésistible attirance du soleil, et après la sortie de route, après les deux tonneaux de la voiture dont je n'ai pas le moindre souvenir, je me revois cherchant à l'extraire du véhicule, le hissant tête pendante, visage constellé par les éclats du pare-brise, et pensant il ne peut pas mourir, il ne peut pas, surtout aujourd'hui et par ma faute, je ne veux pas qu'il meure.

À l'instant où la porte d'entrée venait de claquer. J'ai reconnu le talon de Maria Tarai qui montait l'escalier. Elle a eu dans le couloir un long moment de halte silencieuse comme si avertie par Köhler et voyant de la lumière sous ma porte elle hésitait à frapper. Puis elle a décidé de n'en rien faire et s'est enfermée dans sa chambre en tournant la clef.

Mercredi

Ce matin, le soleil de dix heures s'est placé dans l'axe du vitrail central de la petite chapelle et j'ai pensé qu'il aurait peut-être aimé cette cérémonie. N'aurait certes pas aimé ce corbillard chromé aux torches de verre translucides ni les quatre fonctionnaires en costume noir, ni les quelques photographes venus surtout pour Maria Tarai et qui faisaient une haie cliquetante au-devant de l'escalier de pierre. Mais le jeune prêtre que l'on disait épouvanté a prononcé pendant la bénédiction des paroles d'une grande simplicité, il a bien pris soin d'éviter les références trop précises aux textes canoniques ainsi que tous ces ustensiles d'or et d'argent – calices, cuillères, goupillons, encensoirs – qui maniérisent et dégradent depuis l'âge baroque les rituels du catholicisme. Il a lu le texte de la mort de Lazare où étrangement le Christ ressuscite son ami après l'avoir pourtant pleuré, comme s'il y avait là deux couches rédactionnelles, qu'un texte métaphorique se surimposait à un détail précis, une notation trop marquante pour être passée sous silence : *le Christ pleurait.* Par la suite le jeune officiant a béni le cercueil déposé à même le dallage, en trempant sa main dans l'eau d'une vasque et en projetant des gouttelettes sur le bois vernis. Galeno a pris alors la parole pour un long éloge que portait sa voix grasse résonnant contre les murs étroits de la petite chapelle et où le chagrin avait la sonorité de la colère rentrée. Je n'ai rien retenu de ce long éloge mais il me semblait juste, il était comme le linceul de la parole juste qui couvre le corps de l'ami écrivain mort. Ce fut alors mon tour de lire l'extrait des *Murmurantes* que j'avais choisi, ma voix heureusement ne tremblait pas, j'ai lu le début du chapitre quatorze, cette chambre dont le mur du fond était écroulé, grand ouvert sur le rivage, au point que le ciel et la plage avaient envahi l'espace intérieur, des enfants y jouaient par dizaines, ils riaient, ils criaient, ils inventaient des langues, ils construisaient des labyrinthes dans le sable, ils érigeaient des tours, ils creusaient des villes souterraines, lorsqu'il était entré dans la chambre – mais c'était bien plus vaste qu'une chambre – l'un des enfants avait montré du doigt le mur clair de la mer et tous s'étaient mis à regarder là-bas, cessant aussitôt leurs babils et leurs cris, il marchait au milieu d'eux, il sentait autour de lui leurs présences arrêtées, la lancinante voix des murmurantes devenait plus lointaine, il marchait vers le silence.

Dans l'effroi qui a suivi ma lecture, j'ai senti qu'une main lourde se posait sur mon épaule et je n'ai pas pu me retourner. Les quatre hommes en noir se sont lentement approchés du cercueil pour le déplacer vers le porche de la chapelle, puis ce promontoire d'herbe rase qui surplombe toute la mer à plus de 180 degrés. Là s'est levé le violon de Xénia, son fil luisant, admirable, dans le midi du jour, parmi les à-coups du vent et les criaillements des mouettes. Elle avait choisi de jouer une pièce de Marin Marais, au motif unique, décliné en d'infinies variations, la faisant suivre par un air de sa composition, très pur, très intérieur, comme si elle s'adressait à lui seul. La lumière du matin détaillait toutes les nuances de noir, cendre et velours, de son élégante robe-manteau, elle était très pâle dans le cerne de ses longs cheveux blond-roux que dérangeait le vent, et pourtant elle ne pleurait pas, sa main était ferme, elle était comme nous la connaissions en concert, l'admirable Xénia Ventez, sensible et rigoureuse, tout entière absorbée par la musique de cet adieu. Dans la foule qui faisait masse sur le promontoire, il me semble que les photographes n'osaient plus déclencher, ils paraissaient même perdus dans cette assemblée où se coudoyaient des gens de tous bords, amis, officiels, éditeurs, lecteurs et lectrices qui avaient pris au matin le premier bateau pour l'île comme on fait un ultime pèlerinage à celui dont on a aimé les livres. Un peu plus tard je garde l'image des quatre hommes en noir qui crapahutaient avec le cercueil vers la route en contrebas où le corbillard les attendait pour remonter par le chemin asphalté vers le petit cimetière en pente, pourtant tout proche de la chapelle si l'on empruntait à pied le sentier côtier. Car l'immense détour que fit le cercueil nous valut cette scène inoubliable des quatre figurants en noir dont les silhouettes faméliques se découpaient sur la mer nacrée comme quatre pêcheurs en habit de cérémonie, et qui portaient pirogue pour aller au-devant de la barre. Comme s'il fallait que s'imprime à jamais en nos mémoires l'image branlante, solennelle et mythique de son passage vers la lumière. Puis j'ai souvenir des fleurs, non pas des gerbes ou des couronnes mais cette manne en osier remplie à ras bord de pétales de roses et que nous prenions à pleines mains pour les éparpiller dans la tombe ouverte.

Quand ce fut fini et pour éviter de croiser trop de regards je suis rentré avec Galeno par la plage. Nous ne nous sommes presque rien dit, chacun demeurait dans ses pensées, par moments le vieux peintre soupirait sombrement : c'est passé, c'est fait, c'est derrière nous maintenant... Le ciel était bleu pur et le vent ne cessait pas. Lorsque nous sommes arrivés il y avait déjà beaucoup de monde dans la maison, la grille du portail était restée ouverte et les photographes s'y étaient engouffrés pour se mêler aux familiers et aux officiels en rôdant autour de Maria Tarai, reine éplorée de la cohue. J'ai pensé que malgré ses discours sur les journalistes vautours elle s'y entendait à merveille pour les faire arriver jusqu'à elle, et je me suis souvenu de sa colère à lui, un jour son immense colère quand balayant la table il avait hurlé dans toute la maison : *c'est encore ton théâtre, ton minable petit théâtre...* Dans la foule je cherchais la tache blond-roux des cheveux de Xénia mais elle n'était pas là.

Pendant que la réception battait son plein Rodrigo est venu m'inviter à le suivre vers le fond du jardin, près de la remise à outils. Il y avait là le petit Nereo au pied d'une cage tunisienne en forme de dôme, presque aussi grande que lui. Dans la cage une colombe blanche. Je ne comprenais pas pourquoi Rodrigo m'avait fait venir, sans doute était-ce une histoire entre l'enfant et lui, quelque chose qui avait été promis ou arrangé, un petit rituel annexe qui devait s'accomplir en marge de la grande cérémonie. Rodrigo a déverrouillé le loquet de la porte d'osier et fait signe à Nereo de l'ouvrir. Nous avons attendu un assez long temps que l'oiseau se risque au-dehors puis dans un fracas d'ailes disparaisse. Rodrigo a refermé pieusement la cage, il transpirait dans sa chemise blanche, l'enfant regardait le ciel puis son grand-père, puis à nouveau le ciel, de son regard immense.

Nous remontions ensemble vers la maison quand quelqu'un a crié dans le brouhaha. Je n'ai pas reconnu tout de suite la voix de Xénia, seulement ce cri que j'ai recomposé plus tard : ... *gênez-pas, ... ne vous gênez pas, ... surtout ne vous gênez pas,* et quand je suis arrivé dans le living elle était devant moi blafarde, comme ahurie d'avoir crié. Le bruit des voix reprenait peu à peu autour de nous, allez comprendre, bougonna-t-elle en désignant un photographe, allez comprendre pourquoi elle les a laissés entrer... Ils vont partir, lui disais-je, ils vont partir parce qu'il n'y a rien à voir. Au contraire il y a tout à voir, s'emportait-elle. Et plus tard alors que son regard inexplicablement se brouillait je n'ai pu me retenir de lui demander si elle resterait le soir, si nous aurions le temps de parler. Elle hocha la tête. Dans ses yeux il y avait une lueur, une attente, le signe qu'en effet nous avions à parler.

La double porte vitrée du living était ouverte sur la terrasse où les fleurs qui n'avaient pas été emmenées au cimetière se mêlaient aux grands pots de lauriers roses et de bougainvillées. C'est là que Köhler était aux aguets, fumant son fin cigare. J'ai le sentiment que nous nous sommes mal compris hier au téléphone, commença-t-il en forçant son sourire. Maria Tarai qui nous avait rejoints enclencha aussitôt : j'ai toujours eu confiance en vous, je ne peux pas me faire à l'idée que vous nous mentiez. J'avais pressenti l'attaque, j'ai pris un air étonné, elle a précisé la voix haut perchée : s'il avait cessé d'écrire après l'accident, nous n'aurions pas eu *La Splendeur...*, vous le savez bien. J'ai laissé passer un silence puis j'ai répondu simplement que je croyais l'avoir connu mieux que quiconque. Köhler a fait comme s'il n'avait rien entendu : j'ai donné instruction à ma banque de payer dès aujourd'hui le solde de vos honoraires, je souhaiterais que vous nous laissiez accès dès à présent à l'ensemble des inédits, il serait vraiment dommage que malgré toute la considération que nous vous portions, nous soyons contraints d'entamer une procédure. Sous le calme apparent, derrière la formule menaçante, son regard me jaugeait avec méfiance, je n'ai pas perdu mon calme, j'ai indiqué que pour toutes ces choses je m'en remettrais à Xénia, que c'était à elle que j'avais donné la clef de sa malle, puisqu'il l'avait assez dit : Xénia serait sa seule exécutrice.

Il était passé cinq heures et je me sentais brisé. Pour rassembler mes pensées j'ai éprouvé le besoin de marcher sur la plage en direction de la maison de Rosalia. L'homme de la radio était assis à l'ombre d'un rocher, il m'attendait peut-être, il avait toujours l'air de m'attendre. Nous nous sommes serrés la main en silence et j'ai pris place à côté de lui. Hier j'ai perdu mes esprits, lui ai-je dit, je voudrais que notre entretien reste entre vous et moi. Il a hoché la tête. Devant nous la mer était bleu sombre dans le soir tombant. Est-ce qu'on écrit jusqu'à son dernier souffle, a-t-il soudain détaché, est-ce qu'on s'éloigne un jour du foyer de l'écriture ? J'ai tressailli, j'ai pensé que j'aurais pu prononcer cette même phrase, qu'elle flottait depuis longtemps dans ma demi-conscience, et au même instant j'ai cru l'apercevoir au loin sur la plage, avec son manteau noir à haut revers de col et la fumée de sa cigarette qui s'échappait par brèves bouffées, l'image n'avait pas la netteté hallucinatoire de sa première apparition au seuil de ma chambre mais c'était un souvenir puissant, le désir en moi de le faire apparaître à ce moment-là entre la ligne des premières vagues et le miroir lisse de la plage mouillée. Les derniers temps, ai-je repris, il composait des mandalas avec du sable, il les laissait intouchés sur une table de roche, la mer ou le vent les éparpillait. Avais-je vu ces mandalas ? Non, je l'avais vu au loin à l'œuvre mais je n'avais pas vu les œuvres. Était-ce vraiment des mandalas ou simplement des compositions du hasard ? Toute la question est là, répondis-je, sentant qu'à nouveau je risquais d'en dire trop. Il était donc vraiment seul, suggéra l'homme sur le ton de la familiarité. Trop loin de ses amis, fis-je, trop loin de sa fille, mais heureux, je crois, de tout ce paysage, heureux de cette lumière.

Sur le promontoire les voitures repartaient l'une après l'autre pour le ferry de sept heures. Quand je suis rentré Maria Tarai n'était plus là, il n'y avait plus que Rosalia dans la cuisine qui rangeait silencieusement la vaisselle, j'ai eu peur un moment que Xénia soit repartie mais son imperméable et son écharpe pendaient au porte-manteau. Je l'ai retrouvée, je l'ai surprise plutôt, dans la pénombre de sa chambre à lui, assise à sa table dont elle avait repoussé la machine à écrire, feuilletant sans voir – car il faisait trop sombre – un des manuscrits qu'elle venait d'extraire de sa malle. Elle avait endossé au-dessus de sa robe un peignoir de soie sur lequel roulaient ses boucles. Face à elle les volets étaient entrouverts sur la fin du crépuscule. Elle se retourna, alluma la lampe à abat-jour et me fixa comme sans me reconnaître, les yeux boursouflés par les larmes. Je cherche quelque chose mais je ne sais pas ce que je cherche, fit-elle tout bas. Il y a quelques jours, il m'avait appelée juste avant mon concert, ce n'était pas habituel, j'ai pensé qu'il voulait me dire quelque chose, est-ce que vous avez l'idée de ce qu'il voulait me dire ? Elle me fixait toujours avec cette pointe d'insistance mais je ne pense pas au fond qu'elle attendait une réponse, c'était une question qu'elle adressait aussi bien à moi qu'à elle. Je me suis assis dans le petit fauteuil club où anciennement il s'installait pour lire, Xénia sur sa chaise droite me surplombait un peu, je sentais que le moment était venu, que je ne pourrais plus m'y soustraire, nous étions tous deux dans son silence, son silence était posé entre nous comme un bloc qu'il allait me falloir fendre.

Elle a repris avec douceur : je voulais voir le manuscrit des *Murmurantes*, je voulais voir ses notes, ses repentirs, ce qui n'a pas été gardé, ce qui n'est pas dans le livre... J'ai répondu que selon son souhait tout avait été brûlé, ma voix était dure malgré moi. Elle a pris une ample respiration, est demeurée un temps poings fermés sur ses joues puis elle m'a regardé avec une sorte de frayeur, me demandant d'une voix blanche : j'aimerais savoir votre part, quelle a été votre part dans la rédaction des *Murmurantes*... Choisir, ai-je répondu, mettre en ordre ce qu'il ne pouvait plus mettre en ordre. Elle a hoché la tête puis sous le coup d'une soudaine détermination elle a proposé que nous sortions.

Le vent avait gagné en force, nous étions bien au-delà de la maison de Rosalia, tout près du bateau ensablé, là où son corps avait été retrouvé mais Xénia ne pouvait pas le savoir. Là, elle avait pris ma main, l'avait agrippée plutôt, d'un geste inconcevable d'intimité, mais c'était une main froide, osseuse, ses doigts qui serraient mes doigts comme pour m'empêcher d'éluder encore, atermoyer, mentir. C'est vous n'est-ce pas, m'avait-elle presque crié, c'est vous qui avez écrit *La Splendeur d'Esmeralda Lopez* ? J'ai serré sa main sans répondre. Elle a marmonné quelque chose dont la violence était telle que je ne suis pas sûr de l'avoir entendu. *Nègre, sale nègre, je ne sais pas ce qui me retient de te fracasser le crâne...* Puis elle s'est immobilisée les poings sur le ventre et m'a hurlé de la laisser seule.

Tard, beaucoup plus tard, alors que nous étions rentrés l'un et l'autre dans la maison, que je n'entendais plus aucun bruit venant de sa chambre, j'étais allé frapper à sa porte et elle m'avait laissé entrer. À la fureur douloureuse avait succédé un état de demi-prostration, elle était assise sur son lit, son manteau toujours sur les épaules et elle me regardait avec une infinie tristesse, une désolation. Il me semblait qu'alors elle ne me rejetait plus vraiment, ni moi, ni lui, ni personne, mais que quelque chose venait de mourir en elle, quelque chose était devenu mort. J'ai dit qu'il m'avait souvent parlé de *La Splendeur* comme le livre qu'il devait encore écrire et qu'il lui dédierait, mais qu'après l'accident, après surtout l'expérience des *Murmurantes*, il avait une frayeur à l'endroit de l'écriture, peut-être la peur de s'y perdre définitivement, je ne le saurais jamais, ma trahison à moi avait été d'être fidèle à cette promesse de roman dont il m'avait dicté les premières feuilles bien avant l'écriture des *Murmurantes.* De toute façon le texte de *La Splendeur* était venu malgré moi, au travers de moi, comme autrefois sous le feu de sa dictée quand nous nous retrouvions le matin pour trois ou quatre heures de travail ininterrompu et que son regard s'appuyait sur un point fixe au-dedans de moi, que sa voix errante tâtonnante cherchait sans fin la syncope, le souffle, le balancement de la phrase en m'enveloppant tout le corps. J'ai écrit *La Splendeur,* dis-je, mais c'est sa voix qui m'a porté tout au long de l'écriture. Xénia faisait non en m'écoutant et pourtant je voyais à ses yeux qu'elle entendait ce que je lui disais, que malgré son refus, sa dénégation, elle ne pouvait que me comprendre lorsque je lui faisais cette révélation folle, follement sincère d'avoir écrit dans le prolongement, dans la permanence de sa dictée, elle dont le métier était d'écouter les voix enfouies, les inflexions des maîtres. Et dans la pâle lumière de la chambre je nous sentais proches comme nous ne l'avions jamais été, je sentais qu'à ce moment-là je venais de lui toucher l'âme, comme disait l'amant d'Esmeralda Lopez quand ils se chuchotent quelques mots au milieu de la cohue et que tout leur amour est là dans la clôture de ce secret, cette manière frôlée de se reconnaître et de se déclarer. Est-ce qu'il a seulement lu le livre ? me demanda-t-elle alors avec inquiétude. Je lui répondis ce que je savais, ce que j'avais compris lorsqu'il m'avait rendu le manuscrit après s'être enfermé pour le lire : ce geste de poser silencieusement sa main sur la liasse de feuilles en déclarant c'est un vrai livre, c'est bien, puis l'inexplicable sourire qui avait alors illuminé son visage, malicieux tout à coup, comme au temps où il avait toute sa vivacité : *quel dommage que je ne l'aie pas écrit*, moi lui répondant que s'il acceptait ma part d'écriture je la lui offrais volontiers, toute mon inconscience, tout mon aveuglement à cet instant-là, tandis qu'il hochait la tête sans autre commentaire, quittait brusquement la chambre, sortait sur la plage comme les autres jours, me laissait avec les pages en désordre du manuscrit où figurait son nom, ELIO VENTEZ. Plus tard ne m'en parlerait plus, ne me dirait pas de l'envoyer à Köhler, ne me dirait pas de ne pas l'envoyer, pendant ces longs mois, ces deux pleines années ne me donnerait pas mon congé, alors qu'il n'y avait plus aucun sens à ma présence sinon suivre de loin en loin les rééditions et les traductions, décourager les rares demandes d'interviews. Je ne saurai jamais le sens de ce silence, dis-je à Xénia, peut-être l'oubli, peut-être l'accord profond, j'aurai toujours au fond de moi cette question ouverte. Elle clignait des yeux en me regardant. *Mais vous, vous, où êtes-vous ?* s'exclama-t-elle à mi-voix. À ces mots me revint un souvenir que j'avais totalement occulté lorsque dans le ferry qui nous ramenait vers l'île juste avant l'accident il m'avait saisi par le col du manteau, me plaquant contre le bar et s'écriant à demi ivre : *et toi est-ce que tu les entends ? est-ce que tu les entends, toi ?* Il parlait bien sûr des murmurantes, à l'époque nous évitions d'en parler mais l'ivresse avait réveillé le tourment et son emportement était tel ce jour-là que j'avais préféré oublier la scène, oublier ses yeux exorbités et son haleine lourde. Et dans le trouble qui commençait à me faire perdre toute contenance je répondis à Xénia que j'avais aimé écrire *La Splendeur,* je n'avais cessé de penser à elle en l'écrivant, l'écriture de *La Splendeur* m'avait empli d'une incroyable joie. Elle fit d'abord mine de ne pas avoir entendu. Pourquoi mais pourquoi ne l'avez-vous pas signé de votre propre nom ? insista-t-elle encore mais à voix faible. Je ne savais plus que dire, je m'entendais répondre que j'avais fait comme les autres fois, j'avais envoyé le texte à l'éditeur, j'avais corrigé les épreuves, le reste avait suivi. Xénia m'avait pris à nouveau la main mais cette fois avec douceur. Son visage prenait toute la lumière de la chambre, elle cherchait encore à comprendre, elle me regardait.

Jeudi

Ce matin, juste avant l'aube, j'ai accompagné Xénia jusqu'au premier ferry. Elle n'a pas desserré les lèvres pendant tout le trajet jusqu'au port. Puis, alors que j'étais allé me parquer je la revois au pied de la passerelle d'embarquement, parmi les mouvements des phares, les cris et les ébrouements des moteurs, elle était là droite et vacillante sur le môle de béton, elle serrait contre elle son violon et me cherchait anxieusement dans le va-et-vient des ombres. Je soupçonnais qu'elle devait encore me dire quelque chose, qu'elle n'avait cessé d'y penser pendant tout le voyage en voiture, et qu'ensuite tout serait dit, tout serait accompli. Lorsque je l'ai retrouvée quelques instants plus tard elle a murmuré *c'est Elio Ventez qui a écrit* La Splendeur, *n'est-ce pas ?* Il y avait dans son regard une lueur impérieuse. Promettez-le-moi, répéta-t-elle. Je le lui promis. Les voitures en passant faisaient claquer la passerelle. Nous nous sommes étreints un long temps avant qu'elle n'embarque.

Sur le chemin du retour je repensais sans cesse à cette étreinte, ce puits noir où nous étions demeurés l'un contre l'autre au milieu du vacarme et j'en éprouvais un sentiment de joie profonde. L'aube se levait sur l'île, le disque rouge du soleil pointait au-dessus de la mer et réveillait le vert des collines, délicatement argentées par la rosée. Je gardais en mémoire le visage de Xénia, si insistant et si proche, et j'étais heureux, profondément heureux d'avoir écrit pour elle *La Splendeur d'Esmeralda Lopez.*

Mais, de retour à La Gaviñera dans ces vastes pièces à nouveau ouvertes à la lumière, la cuisine, le hall, le living où Rosalia s'affairait à remettre les choses dans leur rangement d'autrefois, je n'étais bien nulle part, ni dans ma chambre où je savais que je ne pourrais pas dormir, ni dans la sienne où Xénia avait laissé sa malle grande ouverte comme si elle n'avait pas pris la mesure de la charge d'exécutrice qu'il lui avait confiée. En milieu de matinée la petite Josefina est venue s'installer près de sa grand-mère sur un des fauteuils du living repoussé dans le hall pour le temps du nettoyage. Du couloir d'étage j'entendais en bas sa petite voix claire et sentencieuse qui sermonnait ses poupées, leur faisait la leçon l'une après l'autre, discourait gravement autour du *Señor* qui avait écrit beaucoup de livres, qui était parti maintenant en voyage, mais pouvait très bien les voir de là où il était et n'aimait pas du tout quand elles faisaient les folles, les bavardes, quand elles disaient n'importe quoi… De son timbre fluet c'était une longue réprimande ânonnée qui par moments me glaçait.

Une heure plus tard elle est repartie sur l'allée de graviers avec son sac à poupées. Au déjeuner, nous avons mangé Rosalia et moi en tête à tête comme les derniers mois quand il préférait manger dans sa chambre. La vieille femme avait de longs moments de fixité absente puis levait les yeux sur moi et cherchait un peu de chaleur en parlant de tout et de rien, d'une émission de télévision, des images de la cérémonie qui avaient été captées, de Xénia devant la chapelle, belle comme jamais, disait-elle, puis tout retombait dans le silence. À la fin du repas elle m'a demandé jusqu'à quand j'avais l'intention de rester, j'ai répondu que j'avais encore à faire avant de partir. Un peu plus tard elle s'est levée pour couper du pain derrière moi et en revenant vers sa chaise elle a eu ce geste étrange, inquiet, inachevé, de vouloir poser ses mains sur mon front, puis en se détournant elle s'est signée. Ce geste m'a troublé, j'avais l'impression qu'elle l'avait accompli pour me protéger, conjurer un danger qui planait au-dessus de moi. Ces derniers temps nous étions par la force des choses devenus très proches, même si nous nous parlions peu. Elle l'avait servi pendant des dizaines d'années, ils se comprenaient d'un mot, d'un regard, ils avaient des rites en partage comme quand elle lui apportait son thé de cinq heures et que je les entendais bavarder de l'autre côté du mur de ma chambre. Moi je n'avais pas tant de rites avec lui que de séances de travail, du moins jusqu'à la fin des *Murmurantes,* et c'est elle alors qui nous regardait à distance comme si nous appartenions à un cercle interdit. Mais à présent qu'il n'était plus, nous nous découvrions tout à coup une proximité nouvelle, le jeu soudain trop libre des attractions et des vides, et c'est là que son geste prenait tout son sens. Alors, pour dissimuler mon émotion, j'ai dit, j'ai bredouillé plutôt, que je reviendrais les voir, elle et Rodrigo, pensant au même instant qu'il vaudrait peut-être mieux ne jamais revenir. J'ai cherché à retrouver pour la lui citer, une phrase qu'il avait écrite dans *Le Fil du temps* et qui me hantait depuis la veille, quelques mots à propos de nos vies qui passent, nos corps qui un jour se retirent, *n'était cette pierre d'éternité au fond de nos corps,* mais à vrai dire je n'arrivais pas à me souvenir de la citation exacte, la phrase recomposée dans ma mémoire me semblait plutôt banale et je n'étais même pas sûr de *cette pierre d'éternité* dont Rosalia ne comprendrait sans doute pas le sens, elle qui ne lisait pas de littérature, ne l'avait sans doute jamais lu, n'avait de rapport à ses livres que comme des objets sacrés, cérémoniels, doués pour elle de pouvoirs occultes, comme d'intéresser le monde des maîtres et de susciter des reportages à la télévision.

En remontant dans ma chambre je lui ai promis que j'irais la saluer avant de partir, puis j'ai terminé de boucler ma valise et quand la lumière s'est brisée je suis sorti pour marcher sur la plage. Je ne pensais alors à rien d'autre que de longer la vague jusqu'à ce que le soleil disparaisse derrière l'horizon et que s'allume au loin le cordon lumineux des hôtels. Quand je suis rentré j'ai vu que Rosalia était partie mais qu'elle n'avait pas refermé les volets du rez-de-chaussée. Dans le living il flottait encore un relent d'odeur de lys. Je suis monté dans sa chambre où la malle était toujours grande ouverte. Je voulais m'assurer qu'il n'y restait rien dont Köhler eût pu tirer une publication de complaisance. Hormis les classeurs que Xénia avait dérangés, tout y était dans l'état où je l'avais laissé la dernière fois, plusieurs années auparavant : les manuscrits classés dans l'ordre de leur publication, les quatre versions successives de *Pleurez les batailles,* la correspondance et les liasses de notes qui avaient fait la matière du *Fil du temps,* enfin à l'angle de la malle cette farde bleue légendée À BRÛLER où il fourrait régulièrement tout ce dont il voulait se débarrasser. J'en ai extrait quelques feuillets griffonnés par son écriture minuscule, dont il usait parfois comme ébauches, traces, fulgurations, supports de dictée. Parmi ces pages presque toutes illisibles je suis tombé en arrêt sur une phrase que je recopie ici mot pour mot en mettant entre crochets ce dont je ne suis pas certain : *[qu'importe] qui écrit et qui danse, qui recueille et qui [parle], qui regarde et qui s'avance dans le regard, un jour nous serons tous confondus dans la même lueur.*

J'ai refermé la malle et je suis descendu brûler le contenu de la farde bleue dans le poêle de la cuisine. Longtemps je suis resté au-dessus de la taque à regarder les feuilles incandescentes peu à peu noircir, se racornir puis tomber en poussière. Dans la maison il faisait très calme, je me suis installé dans le fauteuil du living où il avait coutume de s'asseoir et je suis resté là sans savoir pourquoi. L'obscurité au-dehors était maintenant complète, la lumière dans la pièce diffusait de la seule lampe à abat-jour dont le cône rosé se reflétait sur la vitre à ma gauche. Par à-coups le vent éveillait quelques piaulements de charnières et d'imperceptibles craquements de combles. Entre les rafales mais à la limite de la perception le silence semblait se soulever de la lointaine respiration de la mer. Je pensais aux murmurantes, je me disais qu'il me fallait écouter ici tous les bruits, détailler jusqu'à la plus fine poussière sonore dans le vide de la maison pour pouvoir un jour la quitter. Et j'essayais de le voir lui, son immense silhouette debout au pied de l'escalier ou tassée dans le fauteuil, écoutant de la musique au casque, les mains sur les oreilles, en laissant échapper par moments des espèces de proférations chantées. Puis je l'apercevais dans son grand manteau noir, s'éloignant de son pas lent vers la maison de Rosalia d'où les enfants accouraient à sa rencontre. Je l'entendais bougonner en me tendant le combiné téléphonique : *répondez à ma place, après tout vous savez mieux que moi ce qu'ils aiment entendre.* Je le voyais endormi tout habillé sur son lit, gisant bras croisés dans un sommeil mortuaire. Puis je ne le voyais plus ou presque plus, son visage enfoncé dans le sable et le va-et-vient de la vague qui caressait ses boucles blanches, avait dit Rodrigo.

Je me suis levé, je suis allé chercher ma valise dans ma chambre, puis j'ai fermé l'un après l'autre les volets du rez-de-chaussée. J'aurais pu laisser cette tâche à Rosalia mais il me fallait l'accomplir, c'était comme refermer moi-même sa tombe, sceller à jamais une longue période de ma vie. Et alors que j'étais occupé aux portes vitrées de la terrasse, j'ai cru l'entendre derrière moi qui m'intimait à voix basse : *pars maintenant, oui, pars.*

(2011)

TABLE

Du même auteur

Retour à Satyah
roman
Alinéa, 1989
et « Espace Nord », n° 243

Grain de peau
nouvelles
Alinéa, 1992
et « Espace Nord », n° 155

La Nuit d'obsidienne
roman
Les Éperonniers, 1992
et « Espace Nord », n° 178

La Partie d'échecs indiens
roman
La Différence, 1994, Stock, 1999
et « Espace Nord », n° 195

Le Tueur mélancolique
roman
La Différence, 1995
et « Espace Nord », n° 145

La Leçon de chant
roman
La Différence, 1996
et « Espace Nord », n° 163

La Passion Savinsen
roman
Prix Rossel
Stock, 1998
et Le Livre de Poche, n° 14893

La Question humaine
récit
Stock, 2000
et Le Livre de Poche n° 15361

Portement de ma mère
poèmes
Stock, 2001
et « Espace Nord », n° 289

La Chambre voisine
roman
Stock, 2001
et Le Livre de Poche n° 15524

Le Sentiment du fleuve
roman
Stock, 2003
et Le Livre de Poche n° 30107

L'Invitation au voyage
nouvelles
La Renaissance du Livre, 2003
et « Espace Nord », n° 214

La Lente Mue des paysages
Poésie 1982-2003
La Renaissance du Livre, 2004 (épuisé)

Le Vent dans la maison
roman
Stock, 2004
et Le Livre de poche, n° 30724

Bleu de fuite
roman
Stock, 2005

Là-bas
livre-CD
Esperluète, 2006

Partie de chasse
théâtre
Actes Sud papiers, 2007

Regarde la vague
roman
Prix Triennal de la Communauté Française
Seuil, 2007
Points n° P2306

Les Voix et les Ombres
Chaire de poétique
Éditions Lansman, 2007

L'Enlacement
roman
Seuil, 2008

Jours de tremblement
Roman
Grand Prix de la SGDL
Seuil, 2010
Points n° P2993

Sept chants d'Avenisao
poésie
Esperluète, 2010

Cheyenn
roman
Seuil, 2011

www.françoisemmanuel.be

RÉALISATION : NORD COMPO À VILLENEUVE-D'ASCQ
IMPRESSION : CORLET IMPRIMEUR S.A. À CONDÉ-SUR-NOIREAU
DÉPÔT LÉGAL : MARS 2013. N° 106595 (152720)
– *Imprimé en France* –